Netzwerk neu

A2 | **Übungsbuch**
mit Audios

Stefanie Dengler
Paul Rusch
Helen Schmitz
Tanja Sieber

Ernst Klett Sprachen
Stuttgart

Autoren: Stefanie Dengler, Paul Rusch, Helen Schmitz, Tanja Sieber

Redaktion: Cornelia Rademacher und Annerose Remus
Herstellung: Alexandra Veigel
Gestaltungskonzept: Petra Zimmerer, Nürnberg; Anna Wanner; Alexandra Veigel
Layoutkonzeption: Petra Zimmerer, Nürnberg
Umschlaggestaltung: Anna Wanner
Illustrationen: Florence Dailleux, Frankfurt
Satz: Holger Müller, Satzkasten, Stuttgart
Reproduktion: Meyle + Müller GmbH + Co. KG, Pforzheim
Titelbild: Dieter Mayr, München

Netzwerk neu A2

Kursbuch mit Audios und Videos	607164	Lehrerhandbuch mit Audio-CDs und Video-DVD	607168
Übungsbuch mit Audios	607165	Intensivtrainer	607166
Kurs- und Übungsbuch mit Audios und Videos A2.1	607162	Testheft mit Audios	607167
Kurs- und Übungsbuch mit Audios und Videos A2.2	607163	Digitales Unterrichts-paket zum Download	NP00860716901

Lösungen, Transkripte u.v.m. zum Download unter **www.klett-sprachen.de/netzwerk-neu**

Audiodateien zum Download unter **www.klett-sprachen.de/netzwerk-neu/medienA2**
Code Audios zu Kapitel 1-6: Nwn3pr!
Code Audios zu Kapitel 7-12: NWn?kL?

Zu diesem Buch gibt es Audios, die mit der Klett-Augmented-App geladen und abgespielt werden können.

| Klett-Augmented-App kostenlos downloaden und öffnen | Bilderkennung starten und **Seiten mit Audios** scannen | Audios und Videos laden, direkt nutzen oder speichern |

Scannen Sie diese Seite für weitere Komponenten zu diesem Titel.

Apple und das Apple-Logo sind Marken der Apple Inc., die in den USA und weiteren Ländern eingetragen sind. App Store ist eine Dienstleistungsmarke der Apple Inc. | Google Play und das Google Play-Logo sind Marken der Google Inc.

1. Auflage   1 7 6 5 | 2024   23   22

© Ernst Klett Sprachen GmbH, Rotebühlstraße 77, 70178 Stuttgart, 2020. Alle Rechte vorbehalten.
www.klett-sprachen.de

Druck und Bindung: Elanders GmbH, Waiblingen

ISBN 978-3-12-607165-9

9 783126 071659

MIX
Papier aus verantwortungsvollen Quellen
FSC® C016368

Netzwerk neu A2

Hallo!

Los geht's!

Viel Spaß!

Herzlich willkommen!

1 Aufgabe im Kursbuch	Vergleichen Sie Deutsch mit anderen Sprachen.
1 passende Übung im Übungsbuch	
🔊 Hören Sie den Text.	→•← Sie haben zwei Möglichkeiten, wie Sie die Aufgabe lösen.
🔊💬 Hören Sie und üben Sie die Aussprache.	❗ Hier lernen Sie eine Strategie oder bekommen Tipps.
✏️ Schreiben Sie einen Text.	
▰ Hier lernen Sie Grammatik.	Ⓟ Diese Aufgabe bereitet Sie auf die Prüfungen *Goethe-Zertifikat A2* oder *telc Deutsch A2 (Start Deutsch 2)* vor.
▤ Hier lernen Sie mehr Wörter zum Thema.	GZ/SD

Und was machst du?

1 a **Was passt zusammen? Ordnen Sie zu.**

1. Wie heißen Sie? _____

2. Woher kommen Sie? _____

3. Wo wohnen Sie? _____

4. Was machen Sie beruflich? _____

5. Was machen Sie in Ihrer Freizeit? _____

A Ich mache gern Sport und ich lese gern.

B Ich bin Ingenieurin.

C Ich lebe seit drei Jahren in Stuttgart.

D Ich heiße Valeria García Rodríguez.

E Aus Spanien.

b **Was hat eine gleiche oder ähnliche Bedeutung? Ordnen Sie zu.**

1. Ich heiße … _____

2. Ich wohne in … _____

3. Ich arbeite als … _____

4. In meiner Freizeit … ich gern … _____

A Von Beruf bin ich …

B Meine Hobbys sind …

C Mein Name ist …

D Ich lebe in …

c **Welches Verb passt wo? Notieren Sie. Es gibt mehrere Möglichkeiten.**

wohnen | sprechen | machen | studieren | treffen | leben | haben | arbeiten

1. an der Uni _____

2. auf dem Land _____

3. Englisch _____

4. Freunde _____

5. in einem Büro _____

6. in einem Apartment _____

7. eine Ausbildung _____

8. Kinder _____

d **Welches Wort passt nicht? Streichen Sie durch. Ordnen Sie dann die Oberbegriffe zu.**

die Sprache | wohnen | ~~die Familie~~ | die Freizeit | der Beruf

1. die Eltern – der Bruder – die Tochter – die Schwester – ~~der Freund~~   *die Familie*

2. das Büro – die Ausbildung – die Wohnung – arbeiten – die Kollegen   _____

3. die Muttersprache – verheiratet – lernen – fließend – die Fremdsprache   _____

4. die Arbeit – das Wochenende – das Hobby – der Sport – die Freunde   _____

5. das Apartment – die Miete – renovieren – das Zentrum – die Schule   _____

e **Ergänzen Sie Wörter aus 1d.**

Ich habe eine (1) _____ zum Elektriker gemacht

und (2) _____ jetzt in einer Firma im Zentrum.

Mein (3) _____ macht mir Spaß und meine

(4) _____ sind auch sehr nett. Nach der Arbeit mache

ich gern (5) _____, zum Beispiel Basketball oder Fußball

spielen. Im Sommer treffe ich auch gern meine (6) _____

am See. Wir haben viel Spaß in der (7) _____.

2 **Diese Personen sind in Ihrem Sprachkurs. Ihr Freund Kadir kann den Kurs nicht mehr besuchen.**
   Beschreiben Sie ihm in einer Mail die neuen Teilnehmer/innen im Kurs.

Lara Martinelli, 18
- Italien, Rom
- Studium: Politik in Bozen
- Sprachen: Italienisch,
  Englisch, Deutsch
- Hobbys: Basketball, Kino

Wayan Taslim, 25
- Indonesien, Jakarta
- Ausbildung: Hotelfachmann
- jetzt: Hotel „Zur Rose", Berlin
- Sprachen: Indonesisch,
  Englisch, Deutsch
- mag: reisen, kochen

Daria Jalowy, 23
- Polen, Warschau
- Beruf: Therapeutin
- Sprachen: Polnisch, Englisch,
  Spanisch, Deutsch
- Hobbys: Bücher, Bücher,
  Bücher!

Lieber Kadir,

ich hoffe, es geht dir gut. Du bist ja jetzt nicht mehr im Sprachkurs, sehr schade! Es sind ein paar
nette Leute gekommen, zum Beispiel Lara. Sie kommt aus …
Wayan ist auch sehr nett. Er …
Ich muss dir auch noch von Daria erzählen. Sie …
Vielleicht kannst du ja alle im August kennenlernen. Du kommst doch wieder, oder?
Schreib mir bald!

Viele Grüße
…

Und was hast du gemacht?

3 a **Ergänzen Sie die Artikel und notieren Sie ein passendes Verb. Die Texte im Kursbuch, Aufgabe 3a helfen.**

1. *die* Prüfung: *schreiben* _____   4. _____ Studium: _____

2. _____ Note: _____   5. _____ Wohnung: _____

3. _____ Fest: _____   6. _____ Leute: _____

b **Schreiben Sie wie im Beispiel.**

1. die Mutter von Mia   *Mias Mutter*

2. der Beruf von Felix

3. die Kinder von Noah

4. das Auto von Frau Strauß

5. die Geschwister von Moritz

6. die Reise von Juri

c **Wer macht das? Ergänzen Sie die Sätze.**

Mein Bruder ist nach Brasilien gezogen.

Agnes

Meine Freundin hat eine Stelle in einem Restaurant gefunden.

Alex

Meine Schwester hat ihr Architektur-Studium in Berlin begonnen.

Lorenz

Mein Freund hat seine Ausbildung beendet.

Helene

1. _____ arbeitet in einem Restaurant.

2. _____ ist mit der Ausbildung fertig.

3. _____ wohnt jetzt in Brasilien.

4. _____ studiert Architektur in Berlin.

4 a **Perfekt – regelmäßige Verben. Das letzte Jahr. Schreiben Sie die Sätze im Perfekt.**

1. Olivia / in einem Hotel / arbeiten
   Olivia hat in einem Hotel gearbeitet.

2. Mein Nachbar / in Spanien / einen Sprachkurs / machen

3. Cem / eine neue Stelle / suchen

4. Tarik / viel für die Uni / lernen

5. Meine Schwester / einen Computer / kaufen

6. Pietro und Anna / im Sommer / heiraten

b **Perfekt – Verben auf *-ieren*. Ergänzen Sie das Partizip II.**

1. studieren: Jakob und Rica haben in Innsbruck _____.

2. diskutieren: In den Uni-Kursen haben sie immer viel _____.

3. fotografieren: Sie haben oft die Stadt und die Berge _____.

4. organisieren: Zum Abschluss haben sie ein Fest _____.

c **Perfekt – unregelmäßige Verben. Ergänzen Sie das Partizip II.**

schlafen | helfen | fahren | sehen | essen | treffen | sprechen | finden

Letztes Jahr habe ich für drei Monate ein Praktikum in Kolumbien gemacht. Ich habe viele nette Leute (1) _____. Ich spreche nicht so gut Spanisch, also habe ich fast immer Englisch (2) _____. Aber das war kein Problem. Nach dem Praktikum bin ich noch für zwei Wochen mit dem Bus und dem Zug durch das Land (3) _____.

So habe ich noch viele Orte (4) _____. Manchmal war es chaotisch und ich habe den Bahnhof nicht (5) _____. Aber dann haben mir immer Leute (6) _____. Ich habe in Pensionen (7) _____. Die waren nicht so teuer. Das Essen war auch sehr lecker. Ich habe so viel Obst (8) _____. Das ist viel besser als bei uns. Es scheint ja auch mehr die Sonne.

d **Perfekt mit *haben* oder *sein*. Was ist richtig? Kreuzen Sie an.**

> **G**
>
> Perfekt mit *sein*
> Bewegung von A → 🚶 → B
> Ich **bin** in die Stadt **gegangen**.
> Wir **sind** nach Wien **gefahren**.
>
> ! Ich **bin** zu Hause **geblieben**.
> ! Was **ist passiert**?

○ Hey, wie geht's? (1) Ich ☐ habe ☐ bin dich ja lange nicht gesehen!
● Gut, danke! Und dir? (2) Was ☐ hast ☐ bist du in den letzten Monaten gemacht? Ah, du warst in Asien, richtig?
○ (3) Ja, genau, ich ☐ habe ☐ bin mit Sophie nach Vietnam geflogen.
  (4) Dort ☐ haben ☐ sind wir dann durch das ganze Land gefahren. Das war sehr interessant.
● Klingt toll. (5) Und wie lange ☐ habt ☐ seid ihr dort geblieben?
○ Zwei Monate. (6) Vor vier Wochen ☐ haben ☐ sind wir zurückgekommen. Und was war bei dir los?
● (7) Also, ich ☐ habe ☐ bin ja lange eine neue Arbeit gesucht.
  (8) Vor einem Monat ☐ habe ☐ bin ich dann auch endlich eine Stelle bei einer Firma im Zentrum gefunden.
○ Ah, gut! Und gefällt es dir dort?
● Ja, sehr. Ich muss jetzt mit dem Bus fahren. (9) Vorher ☐ habe ☐ bin ich immer zu Fuß gegangen. Aber die Arbeit macht Spaß.
○ Cool. (10) Du, Emil ☐ hat ☐ ist nach Hamburg gezogen.
  (11) ☐ Hast ☐ Bist du das gewusst?
● Nein! Ah, da ist mein Bus. Also, tschüs!

e **Markieren Sie die Verben und sortieren Sie sie.**

albesucheniworfgefallenmwefcteilnehmenpgsanfangenfewaferzählenmbveinkaufen
ükgverstehenmnvzurückfahrenineentdeckenneabholennadqempfehlenlhgfernsehen

trennbare Verben	untrennbare Verben
	besuchen,

1.1–2

f **Wählen Sie.**

A **Hören Sie und ergänzen Sie die Gespräche mit Verben im Perfekt.**

○ Hey, wo wart ihr gestern?

● Wir waren im Kino. Meine Kollegin

(1) _____ den Film _____.

Sie findet ihn so toll.

○ Und, (2) _____ euch der Film auch

_____?

△ Ja, er war ganz gut.

○ Und wo sind Maike und Leo?

● Ich weiß es nicht. Sie (3) _____

mir nichts von ihren Plänen

_____.

B **Ergänzen Sie Verben aus 4e im Perfekt und hören Sie die Gespräche zur Kontrolle.**

○ Letztes Jahr (4) _____ ich am Marathon

_____. Vielleicht mache ich

das dieses Jahr wieder.

● Echt? Vielleicht mache ich mit. Ich

(5) _____ ja auch diesen Sommer mit

dem Joggen _____. Aber

heute bin ich zu müde. Lenny (6) _____

mich heute auch schon um 6 Uhr mit dem

Auto _____. Wir hatten einen

Termin in Stuttgart.

○ Das ist wirklich früh.

g **Notieren Sie die Perfektformen zu den restlichen Verben aus 4e.**

1. besuchen – *er/sie hat besucht*

2. zurückfahren – _____

3. einkaufen – _____

4. verstehen – _____

5. entdecken – _____

6. fernsehen – _____

h **Lesen Sie die Nachricht und antworten Sie.**

> Hallo! Wie geht's? Wie war dein Wochenende?
> Schreib doch mal, was du gemacht hast.
> Liebe Grüße, Toni

◀)Q 5 a **Aussprache *ch*. Hören Sie und markieren Sie in den Sätzen *ch* wie in *ich***
1.3 **und *ch* wie in *acht*.**

1. Manchmal möchte ich am Wochenende nur ein Buch lesen.
2. Vielleicht besuche ich im Sommer einen Sprachkurs.
3. Letztes Jahr war ich auf acht Hochzeiten.
4. Kochen wir am Mittwoch zusammen?

b **Sprechen Sie die Sätze. Hören Sie noch einmal zur Kontrolle.**

Wollt ihr kommen?

6 **Welche Nachrichten passen zusammen? Ordnen Sie zu.**

1. _____

| Heute Abend 18 Uhr im Stadtcafé? |

Ja, gerne! Ich bringe einen Salat mit! **A**

2. _____

| Pizza essen am Samstag bei mir! Kommt ihr? |

Oh, das ist aber schade. Was ist denn los? **B**

3. _____

| Ich kann am Freitag leider nicht. |

Ich kann heute leider nicht. Morgen Abend? **C**

◀)) 7 a **Hören Sie die Gespräche. Was ist richtig? Kreuzen Sie an.**
1.4–6

1. Der Mann kommt nicht,
   a weil er ins Kino geht.
   b weil er einen Termin hat.
   c weil er Monika trifft.

2. Vera soll Tina helfen,
   a weil Tina krank war.
   b weil Vera gut Mathe kann.
   c weil Arno keine Zeit hat.

3. Die Frau geht nicht mit,
   a weil sie keine Zeit hat.
   b weil sie keine Lust hat.
   c weil sie keine Schuhe hat.

b **Was passt zusammen? Ordnen Sie zu.**

1. Lisa lädt ihre Freunde ein. _____
2. Sie feiern im Garten. _____
3. Jan kommt mit dem Fahrrad. _____
4. Mona hat ein Buch gekauft. _____
5. Tarik kann nicht kommen. _____
6. Lisas Eltern sind nicht da. _____

A Dort gibt es viel Platz.
B Sie sind nach Italien gefahren.
C Er muss arbeiten.
D Sein Auto ist kaputt.
E Lisa liest gern.
F Sie hat Geburtstag.

c **Verbinden Sie die Sätze aus 7b mit *weil* und markieren Sie das Verb im Nebensatz.**

1. Lisa lädt ihre Freunde ein, _weil sie Geburtstag hat._ _____
2. Sie feiern im Garten, _____
3. Jan kommt mit dem Fahrrad, _____
4. Mona hat ein Buch gekauft, _____
5. Tarik kann nicht kommen, _____
6. Lisas Eltern sind nicht da, _____

d **Korrigieren Sie die Sätze.**

1. Ben hat seine Freunde lange nicht gesehen, weil ~~im Urlaub war er.~~ *er im Urlaub war.*

2. Er war im Allgäu, weil ~~seine Eltern wohnen dort.~~ _____

3. Marvin muss arbeiten, weil ~~ist krank seine Kollegin.~~ _____

4. Felix kommt zu spät, weil ~~ist sein Bus nicht gefahren.~~ _____

5. Lea ist müde, weil ~~hat sie gelernt viel.~~ _____

6. Lea fährt nach Ulm, weil ~~sie will besuchen ihren Vater.~~ _____

e **Schreiben Sie Antworten auf die Fragen.**

1. ○ Warum kommst du nicht zu dem Treffen?

   ● *Weil ich für die Uni lernen muss.* _____ (für die Uni lernen müssen)

2. ○ Warum gehst du nicht mit uns ins Kino?

   ● _____ (keine Lust haben)

3. ○ Warum hast du so viel Kuchen gekauft?

   ● _____

   (meine Freunde einladen wollen)

4. ○ Warum bist du so müde?

   ● _____ (nicht gut geschlafen haben)

5. ○ Warum hast du heute keine Zeit?

   ● _____

   (eine Präsentation vorbereiten müssen)

f **Hören Sie die Fragen aus 7e und antworten Sie.**

1.7

g **Was passt? Ergänzen Sie *weil* oder *denn*.**

○ Gehen wir heute schwimmen oder ins Kino?

● Ich möchte gern ins Kino, (1) _____ ich endlich den James-Bond-Film sehen will.

○ Dann machen wir das und danach gehen wir noch tanzen.

● Ich kann nicht tanzen, (2) _____ mein Fuß tut total weh.

○ Na gut, dann gehen wir ins Café Blume, (3) _____ da ist der Kuchen gut.

● Ich kann aber erst um sieben, (4) _____ ich muss bis halb sieben arbeiten.

○ Kein Problem. Der Film beginnt erst um zwanzig Uhr.

● Oder gehen wir doch schwimmen, (5) _____ es heute so warm ist?

○ Okay, dann fahren wir zum See, (6) _____ das Schwimmbad ist am Abend schon geschlossen.

→•← **h** **Wählen Sie.**

A Ordnen Sie die Ausdrücke unten den Bildern zu und ergänzen Sie die Sätze.

B Sehen Sie die Bilder an und ergänzen Sie die Sätze.

| 1 | 2 | 3 | 4 |

1. Lisa kann nicht einkaufen, weil _____

2. Ben will nicht joggen, weil _____

3. Felicia kann nicht bezahlen, weil _____

4. Die Freunde können nicht Fußball spielen, weil _____

keinen Ball haben | sehr regnen | das Geschäft geschlossen sein | kein Geld haben

🔊 **8 a** **Ordnen Sie die Gespräche und hören Sie zur Kontrolle.**

1.8–9

Gespräch 1

_____ ○ Oh ja, gern. Und wann möchtest du gehen? Samstag oder Sonntag?

_____ ○ Ja, das finde ich gut.

_____ ○ Schade, das geht leider nicht. Morgen bin ich bei meinen Eltern.

_____ ● Samstag ist super. Am Nachmittag, so um drei Uhr?

___1___ ● Ich gehe morgen ins Museum. Kommst du mit?

_____ ● Wir können auch am Wochenende zusammen gehen.

Gespräch 2

_____ ● Ja, klar. Nachmittags geht auch.

_____ ○ Da kann ich leider nicht, weil ich arbeiten muss.

_____ ○ Geht es auch ein bisschen später? Vielleicht so um 14 Uhr?

_____ ○ Super, dann komme ich gern mit

_____ ● Ich möchte am Freitag eine Radtour machen. Hast du auch Lust?

_____ ● Und am Samstag? So um 11 Uhr?

b **Ergänzen Sie das Gespräch.**

Idee | Schade | mitbringen | Lust | Uhr

○ Ich gehe am Samstag mit Ben in den Park. Hast du auch (1) _____?

● (2) _____, da kann ich leider nicht. Ich bekomme am Samstag Besuch.

○ Kein Problem. Am Sonntag fahre ich mit Ben zum See. Willst du da mitkommen?

● Das ist eine gute (3) _____. Um wie viel (4) _____ geht es los?

○ Wir wollen um 10 Uhr mit dem Fahrrad losfahren und dann noch ein Picknick machen.

● Okay, gut. Kann ich etwas (5) _____?

○ Ja, vielleicht einen Salat.

● Okay, dann bis Sonntag!

Essen ohne Licht

9 a **Wie heißen die Wörter? Ergänzen Sie und notieren Sie Artikel und Plural. Wie heißt das Lösungswort?**

1. _M e s s e r_   _das Messer, die Messer_

2. _ _ _ _ _ _   _____

3. _ _ _ _ _   _____

4. _ _ _ _ _   _____

5. _ _ _ _ _   _____

6. _ _ _ _ _ _ _   _____

7. _ _ _ _ _ _ _   _____

8. _ _ _ _ _ _ _ _ _   _____

9. _ _ _ _ _ _   _____

10. _ _ _ _   _____

Lösungswort: _____

b **Was passt zusammen? Ordnen Sie zu.**

1. einen Tisch _____   A bestellen

2. den Kellner _____   B bezahlen

3. das Essen _____   C reservieren

4. die Rechnung _____   D rufen

Lernen mit allen Sinnen

10 **Wie schmeckt das? Wie riecht das? Ordnen Sie zu.**

salzig | süß | bitter | scharf | sauer

1. _____ 2. _____ 3. _____ 4. _____ 5. _____

R1 **Sprechen Sie zu zweit. Was haben die Personen letztes Jahr gemacht?**

A Marina Meier
ihr Studium beginnen
nach Berlin ziehen
mit Freunden in die Berge fahren
einen Sprachkurs machen

B Justus Jakobson
seine Ausbildung beenden
eine Wohnung finden
seine Freundin kennenlernen
durch Europa reisen

🗨 ✏ Ich kann über Vergangenes berichten und schreiben.

☺☺ ☺ 😐 ☹   **KB**   **ÜB**
☐ ☐ ☐ ☐   3b–c, 4d   4h

R2 **Hören Sie und bringen Sie die Bilder in die richtige Reihenfolge.**
1.10

A ☐   B ☐   C ☐   D ☐

🔊 📖 Ich kann Gespräche und Berichte über Vergangenes verstehen.

☺☺ ☺ 😐 ☹   **KB**   **ÜB**
☐ ☐ ☐ ☐   4c   4c, d, f

R3 **Sprechen Sie zu zweit. Jede/r wählt eine Karte und stellt die Fragen. Antworten Sie mit *weil*.**

A
Warum bist du so müde?
Warum gehst du nicht mit uns ins Kino?
Warum bist du zu spät gekommen?

B
Warum isst du nichts?
Warum bist du so glücklich?
Warum kommst du morgen nicht in den Kurs?

🗨 ✏ Ich kann etwas begründen.

☺☺ ☺ 😐 ☹   **KB**   **ÜB**
☐ ☐ ☐ ☐   7, 9d   7

	Außerdem kann ich ...	☺☺	☺	😐	☹	**KB**	**ÜB**
🔊📖	... mich vorstellen.	☐	☐	☐	☐	1, 2a–b	1–2
🗨							
📖🗨	... wichtige Informationen verstehen und weitergeben.	☐	☐	☐	☐	3	
📖	... Nachrichten von Freunden verstehen.	☐	☐	☐	☐	6b	6
🔊🗨	... mich verabreden.	☐	☐	☐	☐	8	8
🔊📖	... Informationen zu einem Restaurant verstehen.	☐	☐	☐	☐	9a–c	
🗨	... ein besonderes Restaurant vorstellen.	☐	☐	☐	☐	9e	9
🗨	... mich über „Wörter mit allen Sinnen lernen" austauschen.	☐	☐	☐	☐	10	

Familie

geboren sein

geschieden

heiraten

die Hochzeit, -en

romantisch

der Rentner, -

die Rentnerin, -nen

Beruf und Uni

die Ausbildung, -en

ab|schließen, er schließt
ab, hat abgeschlossen
*(Sie hat ihre Ausbildung
abgeschlossen.)*

beenden

die Arbeit (Sg.) *(Das war
viel Arbeit.)*

die Überstunde, -n

der Augenoptiker, -

die Augenoptikerin, -nen

der Bankkaufmann, ⁼er

die Bankkauffrau, -en

Biologie (Sg. ohne Artikel)
(Ich studiere Biologie.)

Mathematik (Sg. ohne
Artikel)

die Note, -n

wohnen

mieten

renovieren

das Stadtzentrum,
Stadtzentren

auf dem Land leben

weiter|suchen

zusammen|leben

Freizeit

vor|schlagen, er schlägt
vor, hat vorgeschlagen

ab|sagen

zu|sagen

einverstanden sein
*(Kommst du? –
Einverstanden.)*

einen Plan ändern

der Verein, -e

(sich) an|melden

teil|nehmen, er nimmt teil,
hat teilgenommen

gemeinsam

organisieren

der Flohmarkt, ⁼e

liegen, er liegt, hat gelegen
*(Er liegt am Wochenende
gern auf dem Sofa.)*

das Pferd, -e

reiten, er reitet, ist geritten

spannend

im Restaurant

der Aufenthalt, -e

der Eingang, ⁼e

empfangen, er empfängt,
hat empfangen

der Platz, ⁼e *(Ein Kellner
führt Sie zum Platz.)*

(sich) informieren
(über + A.)

aus|wählen

die Reservierung, -en

spätestens *(Ich komme
spätestens um drei Uhr.)*

bitter

salzig

sauer

scharf

das WC, -s

weiter|helfen, er hilft
weiter, hat weitergeholfen

aus sein *(Handys müssen
aus sein.)*

die Zigarette, -n

mit allen Sinnen lernen

fühlen _____

der Gegenstand, ̈e _____

der Sinn, -e _____

zu|hören _____

andere wichtige Wörter und Wendungen

die Angst, ̈e *(Ich habe Angst.)* _____

die Grippe (Sg.) *(Er hat Grippe.)* _____

das Handy, -s _____

fast _____

also *(Meine Mutter ist Italienerin, mein Vater ist Österreicher. Ich habe also zwei Muttersprachen.)* _____

fließend _____

eine Sprache fließend sprechen _____

begründen _____

rufen, er ruft, hat gerufen _____

ganz *(ganz am Ende)* _____

Mal sehen. _____

weil *(Marvin kommt später, weil er arbeiten muss.)* _____

Wichtig für mich:

_____

_____

_____

Ergänzen Sie die Sätze.

1. Früher habe ich im __ta__t__entru__ gewohnt.

2. Jetzt l__be ich mit meinem Freund z__s__m__en.

3. Wir haben ein H__us auf dem L__ __d ge__ie__et.

4. Es ist sehr alt und wir haben es lange __c__o__iert.

Ergänzen Sie je drei passende Wörter.

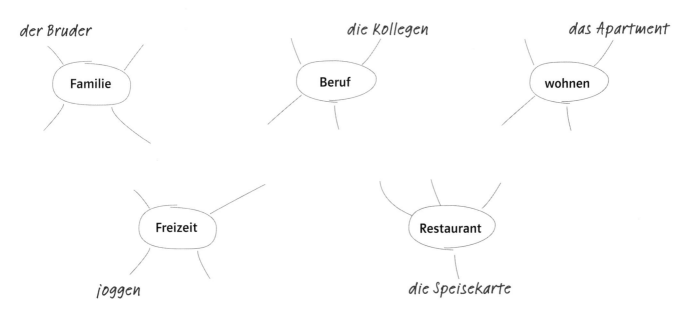

der Bruder

Familie

die Kollegen

Beruf

das Apartment

wohnen

Freizeit

joggen

Restaurant

die Speisekarte

Nach der Schulzeit

1 a   Was passt wo? Ordnen Sie die Wörter zu. Manchmal gibt es mehrere Möglichkeiten. Benutzen Sie auch ein Wörterbuch.

~~der Lehrer / die Lehrerin~~ | das Fach | die Note | ein Praktikum machen | der Student / die Studentin | der/die Auszubildende | studieren | der Mitarbeiter / die Mitarbeiterin | das Zeugnis | die Universität | die Klasse | der Professor / die Professorin | die Vorlesung | die Lehre | die Berufsschule | der Schüler / die Schülerin | der Unterricht | das Abitur

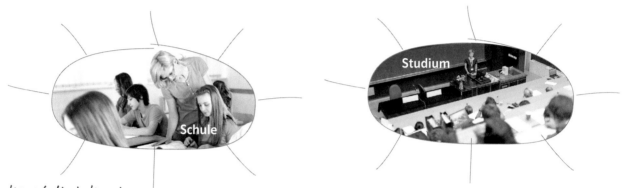

Schule

Studium

der Lehrer / die Lehrerin

Ausbildung/Beruf

b   Schule – und dann? Ordnen Sie zu.

1. Nach der Schule habe ich __E__   A eine Ausbildung angefangen.

2. Aber dann habe ich _____   B bei der Firma bleiben.

3. Ich mache eine Ausbildung _____   C bin ich fertig.

4. Das gefällt mir gut, _____   D drei Jahre.

5. Die Ausbildung dauert _____   E in einem Café als Kellner gejobbt.

6. In einem halben Jahr _____   F zum Techniker.

7. Hoffentlich kann ich dann _____   G weil ich viel lerne und die Kollegen nett sind.

Luca Baltini

c   Was haben Sie nach der Schule gemacht? Schreiben Sie einen kurzen Text wie in 1b.

2 Lesen Sie das Interview. Formulieren Sie die passenden Fragen.

1. ○ _____
   - Zuerst in Brandenburg. Dann sind wir nach Berlin gezogen. Dort bin ich dann ins Gymnasium gegangen.

2. ○ _____
   - Ich habe 2007 Abitur gemacht.

3. ○ _____
   - Ich bin ein Jahr als Au-Pair nach Paris gegangen. Da habe ich endlich richtig gut Französisch gelernt. Dann habe ich mit dem Studium angefangen. Ich habe Französisch und Italienisch studiert.

4. ○ _____
   - Jetzt arbeite ich als Lehrerin für Französisch und Italienisch und manchmal übersetze ich Texte für eine Zeitschrift.

Marie Kellermann

Schule – eine schöne Zeit?

3 a Erinnerungen an die Schule. Lesen Sie noch einmal die Einträge im Kursbuch, Aufgabe 3a. Machen Sie eine Tabelle mit den Informationen.

Name	☺	☹
Ole Jansen	viel Freizeit, 6 Wochen Sommerferien	

b Vergleichen Sie zu zweit Ihre Notizen in 3a.

c Hören Sie die Radiosendung. Was hat Christian in der Schule gefallen, was nicht? Ordnen Sie zu. Drei Ausdrücke bleiben übrig.

1.11

Freunde in der Schule | Pausen | Lehrer/Lehrerinnen | Hausaufgaben | Schulausflüge | Sprachen | Essen in der Schulkantine | Biologieunterricht | Ferien | Sport

☺ _____   ☹ _____

_____   _____

_____   _____

d Die nächste Anruferin erzählt. Ergänzen Sie haben oder sein im Präteritum. Hören Sie dann zur Kontrolle.

1.12

Eigentlich (1) _____ ich gern in der Schule. Meine Klasse (2) _____ sehr nett und

wir (3) _____ gute Lehrer. Aber natürlich (4) _____ nicht alles gut in der Schule. In

Englisch zum Beispiel (5) _____ ich gar nicht gut. Ich (6) _____ Probleme mit der

Aussprache und immer viel zu große Angst vor Fehlern. Und in Chemie (7) _____ ich auch oft

Probleme. Aber da hat mir ein Freund geholfen. Lustig (8) _____ es vor allem in den Pausen

und auf dem Schulweg. Wir sind immer mit dem Fahrrad in die Schule gefahren. Da (9) _____

wir immer zu viert oder zu fünft und das (10) _____ sehr schön.

e **Schule früher. Lesen Sie die Aussagen. Und heute? Schreiben Sie Sätze mit Modalverben im Präsens.**

1. *Früher musste ich sehr weit zu Fuß gehen.*

2. *Früher konnten die Schülerinnen und Schüler nicht am Computer oder Tablet lernen.*

3. *Früher durften wir schon mittags nach Hause gehen.*

4. *Früher mussten wir samstags in die Schule kommen.*

5. *Früher musste man zu Hause wenig Hausaufgaben machen.*

1. *Heute können die Schüler meistens mit dem Bus fahren.*

2. _____

3. _____

4. _____

5. _____

f **Ergänzen Sie die Präteritum-Formen und die Endungen in der Tabelle.**

	wollen	müssen	können	dürfen	sollen	Endung
ich	wollte			durfte	sollte	-te
du	wolltest	musstest	konntest	durftest		
er/es/sie		musste			sollte	
wir	wollten		konnten	durften		
ihr				durftet	solltet	
sie/Sie	wollten		konnten		sollten	

4 a **Welche Form ist richtig? Kreuzen Sie an.**

1. ○ ☐ Musstet ☐ Musste ihr am Nachmittag in der Schule bleiben?
   ● Ja, wir hatten bis 17 Uhr Unterricht und dann ☐ konntest ☐ konnten wir nach Hause gehen.
2. ○ ☐ Durftet ☐ Durftest du in der Schule das Handy benutzen?
   ● Nein, das war verboten.
3. ○ Ich ☐ konnte ☐ konnten zu Fuß zur Schule gehen. Und du?
   ● Ich ☐ wolltest ☐ wollte mit dem Fahrrad fahren, aber ich ☐ durfte ☐ durften nicht.
   Ich ☐ musstet ☐ musste mit dem Bus fahren.
4. ○ ☐ Musstest ☐ Musste du eine Schuluniform tragen?
   ● Ja, du auch?
5. ○ ☐ Konntest ☐ Konntet ihr in der Schule viel am Computer lernen?
   ● Wir haben oft mit dem Tablet gearbeitet. Da ☐ konntet ☐ konnte man viele Übungen machen.

b   Präsens oder Präteritum? Ergänzen Sie die Modalverben.

1. ○ _____ (müssen) ihr noch Hausaufgaben machen?

   ● Nein, wir sind fertig. _____ (dürfen) wir jetzt

   schwimmen gehen?

2.   ○ Warum _____ (können)

   du gestern nicht lernen?

   ● Ich _____ (wollen)

   lernen, aber ich war so müde.

3. ○ Warum waren Sie gestern nicht im Unterricht?

   ● Entschuldigung, ich _____ (können) nicht kommen.

   Ich _____ (müssen) zum Arzt gehen. Er hat gesagt,

   ich _____ (soll) zu Hause bleiben.

c   Ergänzen Sie die Modalverben im Präteritum.

1. können | wollen | wollen

   ○ _____ du nicht nach dem Abitur Medizin studieren?

   ● Nein, ich _____ Sport studieren. Aber dann hatte ich eine Knie-Verletzung und

   _____ keinen Sport mehr machen.

2. dürfen | müssen

   ○ Wir _____ am Abend immer bis 22 Uhr Hausaufgaben machen.

   ● Wirklich? Ich _____ am Abend einen Film sehen oder am Computer spielen.

3. wollen | können | sollen

   ○ Ich _____ immer Sport machen, aber ich _____ lieber lesen.

   Ich mag Sport nicht.

   ● Das ist interessant. Ich _____ nur in der Schule Sport machen. Danach hatte

   ich keine Zeit, immer lernen, lernen, lernen.

5   Wie war das bei Ihnen? Was *konnten, mussten, wollten, durften, sollten* Sie? Wählen Sie ein Thema und schreiben Sie mindestens fünf Sätze. Verwenden Sie Modalverben im Präteritum.

am ersten Arbeitstag | am letzten Schultag | zum ersten Mal allein in die Schule gehen |
zum ersten Mal ein Meeting organisieren | zum ersten Mal mit einem Freund / einer Freundin in
Urlaub fahren | die erste Präsentation machen | …

Mit 16 Jahren durfte ich zum ersten Mal mit einem Freund in Urlaub fahren. Ich musste …

6   Aussprache e. Hören Sie und sprechen Sie nach.

1.13

1. Malte wollte heute Morgen nicht in die Schule gehen.
2. Letzte Woche hatten wir eine Prüfung.
3. Welche Fremdsprache hast du in der Schule gelernt?
4. Hast du immer gute Noten bekommen?
5. Meine Klasse war sehr nett.
6. Mein Lieblingsfach war Geschichte.

Nach dem Schulabschluss

7 a   Ordnen Sie die Verben zu. Es gibt mehrere Möglichkeiten.

besuchen | betreuen | helfen | lernen | machen | sein | sitzen | verdienen

1. ein Handwerk _____

2. Menschen mit Behinderung _____

3. eine Lehre _____

4. Geld _____

5. Vorlesungen _____

6. im Rollstuhl _____

7. anderen Menschen _____

8. sozial aktiv _____

b   Karim erzählt von seiner Ausbildung. Lesen Sie die Mail und korrigieren Sie die Sätze.

> Hallo Chiara,
>
> wie geht es dir? Wir hatten so lange keinen Kontakt – was machst du denn jetzt?
>
> Ich bin bald mit meiner Ausbildung fertig! Nach dem Abitur habe ich mich für eine Ausbildung zum Erzieher entschieden. Zuerst habe ich zwei Jahre an einer Berufsfachschule gelernt. Jetzt arbeite ich seit einem Monat in einem Kindergarten und mache mein Berufspraktikum. Die Arbeit hier gefällt mir super. Mit den Kolleginnen und Kollegen verstehe ich mich sehr gut und die Kinder in meiner Gruppe sind lustig und nett.
>
> Leider habe ich am Nachmittag keine Zeit mehr für meine Hobbys. Nur am Wochenende spiele ich Basketball mit meinen Freunden oder wir sehen ein Spiel von unserem Lieblingsteam. Ich wohne noch zu Hause. Leider verdiene ich auch jetzt wenig und kann noch keine Miete für eine Wohnung bezahlen.
>
> Ruf mich doch bald an, dann können wir etwas zusammen machen.
>
> LG
>
> Karim

1. Karim hat nach dem Schulabschluss ~~ein Studium~~ begonnen.   _____

2. Er macht das Praktikum ~~in einer Schule~~.   _____

3. Karim versteht sich gut mit ~~dem Chef~~.   _____

4. ~~Am Wochenende~~ hat er keine Freizeit.   _____

5. Karim wohnt ~~mit Freunden zusammen~~.   _____

c   Lesen Sie die Mail in 7b noch einmal und markieren Sie alle Artikelwörter und Nomen im Dativ: maskulin blau, neutrum grün, feminin rot. Notieren Sie dann die Artikel und Nomen in der Tabelle.

Dativ			
der	das	die	die
		meiner Ausbildung	

Kurzformen

an + dem → am
bei + dem → beim
in + dem → im
von + dem → vom
zu + dem → zum
zu + der → zur

d **Akkusativ oder Dativ? Ergänzen Sie die Endungen.**

1. Nach d____ Schule hat Tommy sein____ Studium begonnen.

2. Er lebt jetzt in ein____ Stadt i____ Norden von Deutschland.

3. In d____ Universität hat er a____ Freitag kein____ Seminar.

4. Tommy geht dann mit sein____ Freunden in d____ Bibliothek.

5. A____ Wochenende fährt er manchmal zu sein____ Familie

   oder er macht ein____ Ausflug.

e **Nominativ, Akkusativ oder Dativ? Kreuzen Sie den richtigen Artikel an.**

1. ☐ Meine ☐ Meinen Freunde und ich müssen nach ☐ die ☐ der Schule ☐ eine ☐ einer
   Ausbildung machen oder ☐ ein ☐ einem Studium anfangen.

2. Natürlich können wir auch ☐ eine ☐ einer Reise mit ☐ einem ☐ einen Freund oder
   ☐ eine ☐ einer Freundin machen, aber die meisten haben ☐ kein ☐ keinem Geld dafür.

3. Sollen wir also zuerst ☐ einem ☐ einen Job suchen, dann mit ☐ dem ☐ den Zug durch Europa
   reisen und erst danach mit ☐ eine ☐ einer Ausbildung anfangen?

4. Später hat man ☐ keine ☐ keiner Zeit mehr für ☐ eine ☐ einer Pause und Spaß mit
   ☐ die ☐ den Freunden.

5. Dann sucht man ☐ eine ☐ einer Arbeit oder muss für ☐ das ☐ dem Studium und
   ☐ den ☐ die Prüfungen lernen.

6. Und dann möchte man ☐ eine ☐ einer Familie und ☐ eine ☐ einer Wohnung, vielleicht auch
   noch ☐ ein ☐ einen Hund oder ☐ eine ☐ einer Katze. Das ist ☐ meinen ☐ mein Traum!

f **Schreiben Sie die Sätze. Achten Sie auf die richtigen Artikelformen. Beginnen Sie mit den
markierten Wörtern.**

1. mit – unsere Freunde / <u>an – das Wochenende</u> / machen / ein Ausflug / wir

   Am Wochenende _____

2. <u>nach – die Arbeit</u> / ich / treffen / meine Freunde / in – die Stadt

   _____

3. <u>in – der Urlaub</u> / fahren / er / mit – seine Familie / in – ein Hotel

   _____

4. <u>du</u> / in – das Hotel / können / gehen / in – das Schwimmbad

   _____

8 a **Meinung sagen. Wie heißen die Redemittel? Notieren Sie.**

1. Meinung / meine / Das / ist / . _____

2. anders / ich / Das / sehe / . _____

3. finde / das / Ich / toll / nicht / . _____

4. richtig / ist / Das / . _____

5. nicht / das / ist / So / einfach / . _____

1.14

b **Lesen Sie die fünf Aussagen. Hören Sie dann und reagieren Sie mit einem Satz aus 8a.**

1. Die Universitäten sind kostenlos, das ist toll.
2. Drei Jahre eine Ausbildung machen, das finde ich zu lang.
3. Schulabschluss mit 19 Jahren, das ist zu spät!
4. Ein Freiwilliges Soziales Jahr soll jeder machen.
5. Ein Jahr Pause nach der Schule ist schlecht für das Berufsleben.

9 **Welche Wörter passen zusammen? Verbinden Sie und schreiben Sie einen Satz.**

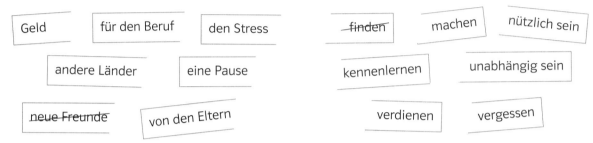

| Geld | für den Beruf | den Stress | ~~finden~~ | machen | nützlich sein |

| andere Länder | eine Pause | kennenlernen | unabhängig sein |

| ~~neue Freunde~~ | von den Eltern | verdienen | vergessen |

1. neue Freunde finden: Im Urlaub finde ich oft neue Freunde.

→•← **10** **Wählen Sie.**

A **Lesen Sie die Texte und ergänzen Sie. Die Wörter unten helfen.**

Ich studiere in Bonn, im Westen von

(1) _____. Die

Universität gibt es seit über 200

(2) _____. Sie liegt im

Zentrum und ist sehr schön. Sie ist auch

(3) _____ für ihre Bibliothek.

Man kann hier circa 200 verschiedene Fächer

(4) _____, zum Beispiel

Wirtschaft und Geschichte. Die Universität hat

circa 38.000 (5) _____ und

6.500 Mitarbeiter.

B **Lesen Sie die Texte und ergänzen Sie.**

Ich mache eine Ausbildung in einem Hotel.

Die Ausbildung (6) _____

drei Jahre. Am Ende hat man

(7) _____ – die sind

ziemlich schwer. Zweimal in der Woche

geht man in die Berufsschule. Im Hotel arbeiten

40 (8) _____ und es hat

210 Zimmer. Es liegt im Zentrum von Bonn und

ist bei Touristen sehr (9) _____.

Meine Ausbildung gefällt (10) _____,

weil ich gern Kontakt zu Menschen habe.

beliebt | studieren | Deutschland | dauert | Jahren | mir | Prüfungen | bekannt | Mitarbeiter | Studenten

Schultypen in Deutschland

11 a **Wie heißen die Schulfächer in Ihrer oder einer anderen Sprache? Notieren Sie.**

Deutsch	Ihre Sprache	andere Sprache	Deutsch	Ihre Sprache	andere Sprache
Mathe(matik)			Deutsch		
Physik			Englisch		
Chemie			Geschichte		
Biologie			Latein		
Geografie			Musik		
Informatik			Wirtschaft		
Sozialkunde			Religion		
Kunst(erziehung)			Sport		

b **Der letzte Schultag. Hören Sie die Radiosendung. Was sagen Marcel Schneider und Julia Schmidt? Wählen Sie.**

1.15

A Sind die Sätze richtig oder falsch? Kreuzen Sie an.

B Sind die Sätze richtig oder falsch? Kreuzen Sie an. Korrigieren Sie dann die falschen Aussagen.

richtig   falsch

1. Marcel Schneider hat morgen seinen letzten Schultag.
2. Marcel hatte keine guten Noten in der Schule.
3. Deutsch und Englisch haben ihm gefallen.
4. Marcel muss jetzt eine Stelle für eine Ausbildung suchen.
5. Er arbeitet in ein paar Wochen in einer Bank.
6. Julia arbeitet bald in einer Firma in Brasilien.
7. Julia spricht schon sehr gut Portugiesisch.
8. Nach ihrer Zeit in Brasilien will sie vielleicht an die Uni gehen.
9. Julia hat sich an der Schule ganz allein gefühlt.
10. Julia musste nie viel für die Schule lernen.

c **Eine Freundin schreibt Ihnen eine Mail und möchte mehr über Ihre Schulzeit wissen. Lesen Sie die Mail und schreiben Sie eine Antwort.**

Hallo,

ich hatte heute ein Klassentreffen und habe viel über die Schule gesprochen. Wie war eigentlich deine Schulzeit? Welche Fächer haben dir gefallen? Und wie waren deine Lehrer und Lehrerinnen?

Ich freue mich auf deine Antwort!

Viele Grüße

Sophie

Liebe Sophie,

danke für deine Mail. Meine Schulzeit? ...

d   **Schüler und ihre Schulzeit.
Welches Verb passt nicht?
Streichen Sie.**

1. Theresa hat in der Schule meistens gute Noten	bekommen – gehabt – ~~studiert~~.
2. Nach dem Abitur möchte sie ein Studium	anfangen – lernen – beginnen.
3. Thomas hat in der Grundschule viel	studiert – gelernt – gelesen.
4. Dann ist er in die Hauptschule	gegangen – besucht – gekommen.
5. Anne hat in diesem Jahr den Realschulabschluss	gemacht – geschafft – gefunden.
6. In den Sommerferien hat sie	gejobbt – gearbeitet – gemacht.
7. Jetzt möchte sie eine Ausbildung zur Krankenschwester	machen – beginnen – lernen.

12 a   **Lena Richter erzählt über ihre Schulzeit. Lesen Sie und ordnen Sie die Abschnitte.**

Von Schule zu Schule

_____ **A** Dann ist Frau Richters Familie nach München gezogen und sie war in einem deutschen Gymnasium. „Wir hatten meistens Unterricht bis 13:30 Uhr, danach mussten wir noch viel für die Schule machen. Für das Abitur mussten wir sehr viel lernen, in allen Fächern. Ich hatte keine Freizeit mehr. Das war super anstrengend", sagt Lena Richter. „Aber ich habe es zum Glück gut geschafft."

_____ **B** Die Ärztin Lena Richter hat Schulen in Deutschland, Frankreich und Österreich besucht. „Ich war bis zum Abitur an fünf Schulen in drei Ländern", erzählt Frau Richter. Das war nicht ihr Wunsch, aber es war einfach so. Ihre Familie musste oft umziehen, weil ihre Eltern ihre Jobs gewechselt haben.

_____ **C** Mit 12 Jahren ist sie nach Wien gekommen und war vier Jahre im Lycée Français, das ist eine französische Schule in Wien. „Wir waren von 8 bis 16 Uhr in der Schule und dort haben wir fast nur Französisch gesprochen. Wir hatten nur kleine Klassen. Ich habe dort viel und gut gelernt, weil die Lehrer uns gut betreut haben. Wir konnten sie immer alles fragen."

_____ **D** Zuerst war Lena in Deutschland in der Grundschule, dann ist die Familie nach Frankreich gezogen. Sie war zwei Jahre in einer Schule in Nizza. „Am Anfang konnte ich kein Französisch. Ich musste die Sprache lernen und viel für die Fächer. Die Lehrer waren sehr streng. Es war schwer für mich", sagt Lena Richter.

_____ **E** Frau Richter denkt gern an diese Zeit. „Wir haben mittags in der Schule gegessen. Dann hatten wir noch Unterricht oder Lernzeit. Nach der Schule hatte ich dann wirklich frei. Ich hatte Zeit für meine Wiener Freundinnen, für Musik und andere Sachen", erzählt Frau Richter und lächelt.

b   **Lesen Sie den Text noch einmal und ordnen Sie die Überschriften zu.**

_____ a   Endlich Schule UND Spaß

_____ b   Neue Schule, neue Sprache

_____ c   Schulzeit in drei verschiedenen Ländern

_____ d   Schulabschluss ist Stress

_____ e   Lehrer helfen Schülern

R1 **Hören Sie. Was sagen die Personen? Ergänzen Sie.**

1.16

Michael Halber	Nina Wenzel
Lieblingsfach: _____	Lieblingsfach: _____
nach der Schule: _____	nach der Schule: _____
_____	_____
dann: _____	dann: _____
jetzt: _____	jetzt: _____

Ich kann Berichte über Schule und Ausbildung verstehen.

☺☺ ☺ ☺ ☹　KB 1, 3　ÜB 1b, 2–3, 7b, 11b, 12

R2 **Berichten Sie über Ihre Schulzeit. Schreiben Sie.**

1. (nicht) gern / in die Schule / gehen
2. (nicht) sehr früh / aufstehen / müssen
3. in … (keine) Probleme / haben
4. viel/wenig Zeit / für … haben

Ich kann über die Schulzeit und die Zeit danach berichten.

☺☺ ☺ ☺ ☹　KB 2, 4–5, 8a　ÜB 1c, 5, 11c

R3 **Arbeiten Sie zu zweit und lesen Sie die Sätze. Was ist Ihre Meinung?**

1. Nach der Schule soll man eine Pause machen.
2. Geld verdienen ist nicht so wichtig. Die Arbeit muss Spaß machen.
3. Die Erfahrungen auf Reisen kann man später brauchen.
4. Ein Sprachkurs im Ausland ist zu teuer.

Ich kann die eigene Meinung sagen.

☺☺ ☺ ☺ ☹　KB 8c, 9　ÜB 8

Außerdem kann ich …

	☺☺	☺	☺	☹	KB	ÜB
… einen Kommentar über meine Schulzeit schreiben.	☐	☐	☐	☐	5	5
… eine Radiosendung über Schule und die Zeit danach verstehen.	☐	☐	☐	☐	7b–c	
… ein Gespräch über Pläne verstehen.	☐	☐	☐	☐	8b–c	
… eine Universität oder Ausbildung präsentieren.	☐	☐	☐	☐	10	10
… Informationen über das Schulsystem in Deutschland verstehen.	☐	☐	☐	☐	11a–c	11
… das Schulsystem in meinem Land erklären.	☐	☐	☐	☐	11d	
… über meine Traumschule berichten.	☐	☐	☐	☐	12	
… eine Mail über meine Schulzeit schreiben.	☐	☐	☐	☐		11c

Schule

der Abschluss, ⸚e _____

der Schulabschluss, ⸚e _____

das Abitur (Sg.) _____

das Zeugnis, -se _____

der Direktor, -en _____

die Direktorin, -nen _____

der Schüler, - _____

die Schülerin, -nen _____

die Klasse, -n *(Die Lehrerin steht vor der Klasse.)* _____

das Klassenzimmer, - _____

die Dauer (Sg.) _____

die Unterrichtszeit, -en _____

der Stundenplan, ⸚e _____

die Fremdsprache, -n _____

die Cafeteria, Cafeterien _____

der Schulweg, -e _____

die Klassenfahrt, -en _____

die Ferien (Pl.) _____

die Schuluniform, -en _____

streng _____

die Vorbereitung, -en _____

üben _____

der Vokabeltest, -s _____

Schulfächer

das Fach, ⸚er _____

Lieblings- *(Mein Lieblings-fach war …)* _____

Chemie _____

Geografie _____

Geschichte _____

Informatik _____

Latein _____

Kunsterziehung/Kunst _____

Mathematik/Mathe _____

Physik _____

Sozialkunde _____

Wirtschaft

die AG, -s _____

Schultypen

die Grundschule, -n _____

die Hauptschule, -n _____

die Realschule, -n _____

das Gymnasium, Gymnasien _____

die Gesamtschule, -n _____

die Berufsschule, -n _____

das Schulsystem, -e _____

das Bundesland, ⸚er _____

Berufe

der Altenpfleger, - _____

die Arzthelferin, -nen _____

das Au-pair, -s _____

der Englischlehrer, - _____

die Gärtnerin, -nen _____

der Grafiker, - _____

der Hotelkaufmann, ⸚er _____

die Hotelkauffrau, -en _____

die Krankenschwester, -n _____

der Krankenpfleger, - _____

Arbeit und Beruf

die Arbeitswelt (Sg.) _____

der/die Auszubildende, -n _____

der Azubi, -s _____

die Lehre, -n _____

die Berufserfahrung (Sg.) _____

die Erfahrung, -en _____

das Berufsleben (Sg.) _____

das Handwerk (Sg.) _____

jobben _____

die Messe, -n _____

die Arztpraxis, Arztpraxen _____

das Reisebüro, -s _____

die Werbeagentur, -en _____

Universität

Jura *(Sie hat Jura studiert.)* _____

Medizin _____

die Vorlesung, -en _____

eine Vorlesung besuchen _____

die Meinung sagen

die Meinung, -en _____

ab|lehnen _____

zu|stimmen _____

nützlich _____

witzig _____

furchtbar _____

schlecht *(Ich finde das
nicht schlecht.)* _____

wütend _____

Das sehe ich anders. _____

Das war bei mir auch so. _____

die Hauptsache, -n
*(Hauptsache, es macht
Spaß.)* _____

überraschen _____

überrascht sein _____

die Gemeinsamkeit, -en _____

der Unterschied, -e _____

wahrscheinlich _____

wenigstens _____

ziemlich _____

zum Beispiel _____

andere wichtige Wörter und Wendungen

aus|schlafen, er schläft aus,
hat ausgeschlafen _____

die Behinderung, -en _____

der Rollstuhl, ⸚e _____

ehrlich *(Ich musste nie
Hausaufgaben machen. –
Ehrlich?)* _____

die Erholung (Sg.) _____

die Erinnerung, -en _____

die Weltreise, -n _____

erwachsen _____

unabhängig _____

freiwillig _____

sozial _____

die Grafik, -en *(Sehen Sie
die Grafik an.)* _____

heute *(Mit vielen Freunden
habe ich heute noch
Kontakt.)* _____

erst mal _____

paar *(Alle paar Wochen
habe ich frei.)* _____

der Kontakt, -e *(Meine
Freunde und ich haben viel
Kontakt.)* _____

verlieren, er verliert,
hat verloren _____

je *(Notieren Sie je zwei
Wörter.)* _____

Wichtig für mich:

_____

_____

Ergänzen Sie Wörter.

Immer online?

1 a Sehen Sie das Bild an und ordnen Sie die Wörter zu.

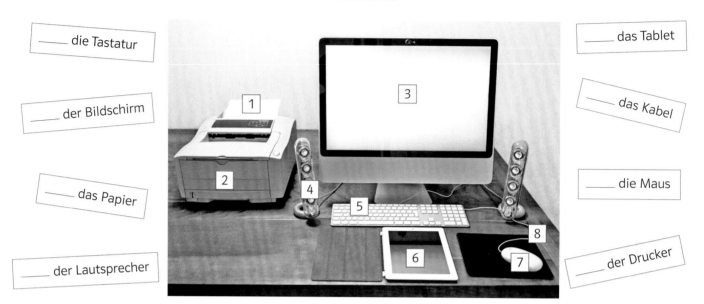

_____ die Tastatur

_____ das Tablet

_____ der Bildschirm

_____ das Kabel

_____ das Papier

_____ die Maus

_____ der Lautsprecher

_____ der Drucker

b Welches Wort passt zu welchem Symbol in der Tabelle? Ordnen Sie zu. Ergänzen Sie Ihre oder eine andere Sprache.

kopieren | löschen | herunterladen | suchen | anklicken | weiterleiten | senden | drucken | speichern

Pikto	Deutsch	Ihre Sprache	andere Sprache
1			
2			
3			
4			
5			
6			
7			
8			
9			

2 a Sie bekommen eine Nachricht von Patricia –
Sie kennen aber keine Patricia. Was machen Sie?
Wählen Sie eine Nachricht oder schreiben Sie
eine andere Antwort. Vergleichen Sie zu zweit.

> Wann treffen wir uns morgen? Um 20:00 Uhr am Kino oder schon um 18:30 Uhr – zum Essen? LG Patricia

> ??? Wer bist du? Ich kenne dich nicht …

1 ☐

> Um 18:30 vor der Pizzeria *Italia*. Bis morgen!

3 ☐

> Habe eine Nachricht von dir bekommen. Die ist aber nicht für mich.

2 ☐

>

4 ☐

🔊
1.17

b Hören Sie. Was ist Janis passiert? Beantworten Sie die Fragen.

1. Was findet Janis toll? _____

2. Warum findet Janis das toll? _____

3. Was denken Sie: Wie geht die Geschichte weiter? _____

_____

🔊
1.18

c Hören Sie das Ende der Geschichte. War Ihre Vermutung in 2b richtig?

✏️ **3 a** Arbeiten Sie zu zweit. Sehen Sie den Cartoon an. Schreiben Sie die Nachrichten von Bild 4 und
antworten Sie.

Soll ich dir eine Nachricht schreiben?

Hallo Tim …

Hallo …

b Sprechen Sie in Gruppen. Wie finden Sie die Situation? Wie oft benutzen Sie das Smartphone im
Restaurant oder Café?

Was ist besser?

4 a **Medienwelt. Notieren Sie den Komparativ.**

1. alt _älter_

2. neu _____

3. groß _____

4. klein _____

5. lang _____

6. kurz _____

7. leicht _____

8. schwer _____

9. lustig _____

10. jung _____

11. viel _____

12. wenig _____

> **!**
>
> **Komparativ**
> kurze Adjektive mit
> a, o, u → ä, ö, ü
> *alt – **ä**lter*
> *groß – gr**ö**ßer*
> *kurz – k**ü**rzer*

b **Lesen Sie das Forum zum Thema „E-Books". Ergänzen Sie die Adjektive im Komparativ.**

123	Hallo, mein Freund hat nächste Woche Geburtstag. Er hat jetzt einen E-Book-Reader und ich schenke ihm vielleicht ein E-Book. Was meint ihr: Ist das eine gute Idee? Oder soll ich ihm ein normales Buch kaufen?
Rumpel	Super Idee! Schenk ihm ein E-Book. Auf dem E-Book-Reader kann er viele Bücher haben – das ist viel (1) _____ (praktisch).
Lia	Ich weiß nicht. Ich finde ein Buch viel (2) _____ (schön), ich liebe Papier. Ein E-Book ist natürlich (3) _____ (modern), aber ich lese (4) _____ (gern) Bücher aus Papier. Und Bücher sind eigentlich nicht (5) _____ (teuer) als ein E-Book, der Preis ist fast gleich.
Rumpel	@Lia: Na ja, das stimmt so nicht. Das Gerät ist natürlich teuer, aber ein E-Book ist meistens (6) _____ (billig) als ein Buch. Und man bekommt sie viel (7) _____ (schnell), man kann sie sofort herunterladen.
Totter	E-Books sind viel (8) _____ (gut) als Bücher. Warum? Weil sie keinen Platz brauchen! Kauf ihm ein E-Book.

5 a **Vergleichen Sie je zwei Gegenstände mit *als*. Schreiben Sie fünf Sätze.**

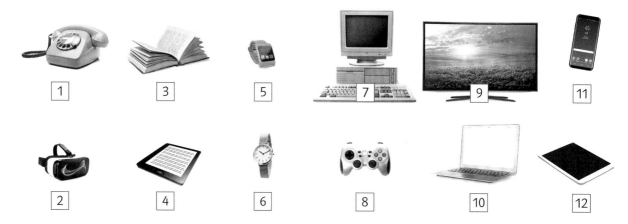

b **Was mögen Sie? Was ist wichtig für Sie? Schreiben Sie fünf Sätze mit *als*. Verwenden Sie den Komparativ von *gern*, *oft* und *selten*.**

1. online / im Kaufhaus kaufen

   Ich kaufe lieber im Kaufhaus als online.

2. Bücher / Zeitschriften lesen

3. unterwegs / zu Hause telefonieren

4. einen Film im Kino / zu Hause sehen

5. Fotos / Nachrichten schicken

c **Vergleiche mit *als* oder *wie*? Ergänzen Sie.**

349,- Euro
2,1 kg

A

1. Laptop A ist genauso teuer _____ Laptop B.

2. Laptop B ist nicht so schwer _____ Laptop A.

3. Laptop B ist leichter _____ Laptop A.

349,- Euro
1,5 kg

B

d **Telefonieren oder Nachrichten schreiben? Ergänzen Sie *als* oder *wie*.**

Telefonieren mag ich viel lieber (1) _____ Nachrichten schreiben. Schreiben geht nicht so schnell (2) _____ ein Anruf.

Ich finde Sprachnachrichten super. Man kann auch erst später reagieren – das ist also nicht so stressig (3) _____ telefonieren. Und es ist lustiger (4) _____ ein Telefonat, weil man Videos oder Fotos schicken kann.

e **Wie war das vor zehn Jahren? Vergleichen Sie früher und heute. Schreiben Sie drei Sätze mit *wie* und drei mit Komparativ + *als*.**

1. online lernen   *Früher habe ich nicht so viel online gelernt wie heute.*

2. draußen sein

3. Freunde besuchen

4. ins Kino gehen

5. Postkarten schreiben

6. Fotos machen

Das mache ich am liebsten.

6 a   Lesen Sie die Sätze und ergänzen Sie die Wörter.

gründen | perfekt | programmieren | entwickeln | Projekte | spannender | Vorbereitung

1. Mein Informatik-Studium gefällt mir, weil wir oft _____ machen.

2. Das ist _____ als die Vorlesungen oder Seminare.

3. So kann man zusammen mit anderen Ideen für Apps _____ –
   das finde ich super.

4. Natürlich starten wir nicht sofort. Die _____ ist wichtig, dann klappt
   es danach auch gut.

5. Am liebsten _____ ich Spiele für Smartphones, das habe ich an der
   Uni gelernt.

6. Später möchte ich gern eine Firma _____ und so mein Geld verdienen.

7. Meine Spiele sind nicht _____, aber die Leute spielen sie hoffentlich gern.

→•←   **b   Wählen Sie.**

**A Ordnen Sie die Komparative unten zu und
ergänzen Sie den Superlativ.**

1. billig   _____ _____

2. gut   _____ _____

3. lang   _____ _____

4. viel   _____ _____

5. wichtig   _____ _____

6. groß   _____ _____

langsamer | länger | teurer | mehr |
dunkler | größer | besser | lieber | billiger | wichtiger |

B Ergänzen Sie Komparativ und Superlativ.

7. langsam   _____ _____

8. teuer   _____ _____

9. gern   _____ _____

10. dunkel   _____ _____

> **!**
> *dunkel – dunkler – am dunkelsten*
> *teuer – teurer – am teuersten*

c   Schreiben Sie zu jedem Bild einen Satz mit Superlativ.

      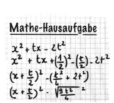      

1. schnell   2. teuer   3. schwierig   4. leicht

> **!**
> **Superlativ mit -est**
> Adjektive mit **d, t, s/ss/ß**
> oder **z** am Wortende
> bilden den Superlativ
> mit **-esten**:
> *am interess**ant**esten,*
> *am süß**esten***
> **!** *am größten*

1. Der Mann war …

7 a **Formulieren Sie Fragen mit Superlativ.**

1. gut gefallen – welche Musik *Welche Musik gefällt dir/Ihnen am besten?*

2. lustig sein – welcher Film _____

3. interessant finden – welches Buch _____

4. schön finden – welche Sprache _____

5. gut können – welchen Sport _____

6. gern mögen – welche Schauspielerin _____

b **Sprechen Sie zu zweit. Stellen Sie die Fragen aus 7a und antworten Sie.**

Meine Meinung ist …

8 a **Welche Kommentare passen zu welchem Foto? Ordnen Sie zu.**

1. __*B*__   Was ist das hinter dir? Die Universität?

2. _____   Du hast also nicht nur Freizeit – da bin ich aber froh ☺ !

3. _____   Gefällt es dir in Spanien? Der Platz sieht schön aus!

4. _____   Alles nicht so einfach in der neuen Stadt, oder?

5. _____   Du hast also schon Freunde gefunden! Sprichst du schon besser Spanisch?

6. _____   Warum suchst du nicht auf deinem Handy? Das ist doch einfacher …

7. _____   Musst du viel lernen oder was machst du da?

8. _____   Wo hast du den Hut gekauft? Der steht ihm auch gut.

b **Schreiben Sie eigene Kommentare zu den Fotos. Tauschen Sie dann mit einem Partner / einer Partnerin und ordnen Sie die Kommentare den Fotos zu.**

9 a **Was passt zusammen? Ordnen Sie zu.**

1. Fotos machen ist für viele wichtig, _____   A weil er sie nicht gut genug findet.

2. Ich mag es nicht, _____   B dass die Fotos von ihren Freunden oft lustig sind.

3. Mein Bruder postet nicht gern Fotos, _____   C weil die Fotos dann besser aussehen.

4. Johanna findet Foto-Apps sehr gut, _____   D dass meine Freunde so viel posten.

5. Johanna denkt, _____   E weil sie ihren Freunden Fotos schicken wollen.

1.19

b **Hören Sie die Radioumfrage zum Thema „Immer online – ist das gut oder schlecht?". Wählen Sie.**

A **Wer sagt was? Ordnen Sie die Stichpunkte unten den Personen zu.**   B **Was denken die Personen über das Thema? Notieren Sie Stichpunkte.**

Susanna Kolar	Laurenz Schiweck	Kostas Petridis	Mia Feldmann

1. schlecht für Kinder | 2. Kontakt zu Freunden in anderen Ländern | 3. nützlich für die Arbeit | 4. zu viel Zeit kosten | 5. weniger Kontakt mit anderen | 6. Gespräch mit Kollegen und Kunden wichtig | 7. andere Sachen wichtiger | 8. nie langweilig

c **Was meinen die Personen aus 9b? Formulieren Sie die Aussagen in ganzen Sätzen.**

1. Susanna Kolar sagt, dass *das Internet viel Zeit kostet.* _____

   Sie findet, dass _____

2. Laurenz Schiweck meint, dass _____

   Er findet aber, dass _____

3. Kostas Petridis findet, dass _____

   _____

4. Mia Feldmann sagt, dass _____

   _____

d **Was ist Ihre Meinung zu der Umfrage in 9b? Schreiben Sie.**

10 a Was sagen die Personen? Schreiben Sie Sätze mit *dass*.

1. ihr Smartphone / mitnehmen / sie / immer
   Carmen sagt, dass _____ .

2. Fotos zum Posten / lange auswählen / sie
   Sie sagt auch, dass _____ .

3. Carmen / im Urlaub / zu viele Fotos / hochladen
   Marco sagt, dass _____ .

4. am Wochenende / sein Smartphone / nur kurz anmachen / er
   Er sagt auch, dass _____ .

b Schreiben Sie sechs Sätze mit *dass*.

gut finden | sicher sein | glauben | (nicht) hoffen | denken | glücklich sein | (nicht) interessant finden | meinen

das Internet ist kostenlos | man kann überall online sein | man muss noch andere Hobbys haben | man kann mit Freunden im Ausland kostenlos sprechen | das Einkaufen ist billiger im Netz | viele Menschen sind auch ohne Internet glücklich

1. Meine Schwester findet gut, dass man mit Freunden im Ausland kostenlos sprechen kann.

◀ 🔊 11 a Aussprache: *b* oder *w*? Hören Sie und schreiben Sie die richtigen Namen.

1.20

1. Herr _____olling, 2. Thomas _____eiß, 3. Sandra _____auer, 4. Christiane _____eber, 5. Frau _____ersch

b Arbeiten Sie zu zweit. Notieren Sie aus der Wortliste zehn Wörter mit *b* oder *w* am Anfang. Person A sagt ein Wort, Person B zeigt einen Zettel mit B oder W. Dann wechseln Sie.

Wecker

Kino! Kino!

12 a Welche Wörter zum Thema „Film" kennen Sie schon? Sammeln Sie.

Filmtyp	Wie sind Filme?	Berufe beim Film
der Thriller	spannend	der Regisseur

b Drei Freunde erzählen von ihren Lieblingsfilmen. Welche Filme sehen sie am liebsten?

die Komödie | der Thriller | der Krimi | der Fantasy-Film | der Actionfilm

Nadja	Ines	Anton
Ich sehe am liebsten Filme mit viel Action – und die Musik muss toll sein. Die Schauspieler und die Geschichte sind für mich nicht so wichtig.	Ich liebe Filme mit Humor. Das Leben ist schon stressig genug, da möchte ich im Kino lachen können. Dazu gehört auch ein Happy-End, dann bin ich zufrieden.	Im Kino will ich alles vergessen. Der Film muss spannend sein und die Geschichte logisch. Auch die Schauspieler müssen sehr gut sein, denn der Film soll real wirken.

c **Mögen Sie Filme? Wenn ja, welche? Wenn nein, warum nicht? Schreiben Sie einen kurzen Text wie in 12b.**

d **Welchen Film haben Sie vor Kurzem gesehen? Beantworten Sie die Fragen.**

spielen in | heißen | zeigen, dass | erzählen von | sein

1. Wie heißt der Film? _____

2. Welche Geschichte erzählt der Film? _____

3. Wo spielt die Geschichte? _____

4. Wer ist die Hauptperson? _____

5. Was zeigt der Film? _____

◀)) **13 a** **Peter erzählt von vier verschiedenen Filmen. Wie haben ihm die Filme gefallen?**
1.21–24 **Ergänzen Sie ☺☺, ☺, ☺ oder ☹.**

Film 1 ☺☺ _____

Film 2 _____ _____

Film 3 _____ _____

Film 4 _____ _____

b **Hören Sie noch einmal und notieren Sie in 13a je einen Grund für Peters Meinung.**

c **Lesen Sie den Text über Nora Tschirner. Welche Berufe hatte und hat sie? Markieren Sie.**

Starporträt Nora Tschirner

Nora Tschirner, geboren 1981 in Ost-Berlin, war schon in der Schule in der Theatergruppe. Seit 2001 ist sie bekannt als Musik-Moderatorin. In diesem Jahr hat sie auch zum ersten Mal in einem Film gespielt. Bis heute war sie schon in mehreren Kinohits und spielt seit 2013 eine Polizistin in der Krimiserie „Tatort". Am bekanntesten war wohl ihre Rolle in „Keinohrhasen" an der Seite von Til Schweiger. Sie war auch schon Musikerin in einer Band, aber am liebsten ist sie Schauspielerin. Ihr Film „Gut gegen Nordwind" ist ein Liebesfilm und eine Komödie. In der Roman-Verfilmung spielt sie zusammen mit Alexander Fehling. Mit ihm war sie auch im Leben viele Jahre ein Paar und sie haben ein Kind zusammen. Aber

über ihr Privatleben sprechen beide Stars wenig. Nicht nur das Schauspielen ist Nora Tschirner wichtig. Sie hat auch schon als Regisseurin gearbeitet und hilft bei Projekten für Afrika mit.

d **Lesen Sie den Text noch einmal. Sind die Sätze richtig oder falsch? Kreuzen Sie an.**

	richtig	falsch
1. Nora Tschirner ist Schauspielerin am Theater.	☐	☐
2. Sie ist schon lange als Schauspielerin bekannt.	☐	☐
3. Sie ist lieber Musikerin als Schauspielerin.	☐	☐
4. Sie ist auch sozial aktiv.	☐	☐

R1 Was machen Sie lieber? Was ist besser? Nennen Sie Vor- und Nachteile.

Ein Fotoapparat ist schwerer als ein Handy. Aber ich fotografiere …

Ich kann Vergleiche formulieren.
KB: 5a–b, 8c ÜB: 4b, 5b, e

R2 Wie finden die Personen Actionfilme? Toll ☺, okay ☺ oder blöd ☹? Notieren Sie.

1 Ich gehe oft ins Kino und letzte Woche habe ich einen Actionfilm gesehen. Alle waren begeistert, nur ich nicht so. Der Film war nicht schlecht, aber auch nicht super. ____

2 Diesen Film habe ich am Wochenende gesehen und ich habe mich geärgert. Nicht logisch und langweilig – wie oft bei Actionfilmen. Das nächste Mal suche ich den Film besser aus. ____

3 Actionfilme sind für mich Erholung. Im Kino sitzen und an nichts denken, das kann ich nur bei Actionfilmen. Für mich war der Film genau richtig! ____

Ich kann Kommentare zu Filmen und Filmbeschreibungen verstehen.
KB: 12b, 13a–b ÜB: 12b, 13a

R3 Notieren Sie fünf Fragen zu den Stichpunkten und machen Sie ein Interview zu zweit.

Freizeit | Beruf | Musik | Essen | Film

Ich kann ein Interview machen.
KB: 6d, e ÜB: 7

Außerdem kann ich …

… Gespräche über Medien und Mediennutzung verstehen und führen. — KB: 1, 2a

… eine persönliche Erzählung verstehen. — ÜB: 2b–c

… über das eigene Medienverhalten sprechen und schreiben. — KB: 2b–c ÜB: 3b

… über einen Cartoon sprechen. — ÜB: 3

… in Gesprächen Vor- und Nachteile verstehen. — KB: 4b–c

… berufliche Kurzporträts verstehen. — KB: 6a

… Kommentare verstehen und schreiben. — KB: 8b ÜB: 8

… eine Umfrage verstehen. — ÜB: 9b

… die eigene Meinung ausdrücken. — KB: 10 ÜB: 9c–d, 10b

… über Filme sprechen. — KB: 12a, d

… eine Filmbeschreibung und einen Kommentar zu Filmen schreiben. — KB: 12d, 13c–d ÜB: 12c–d

… ein Starporträt verstehen. — ÜB: 13c–d

Medien und Geräte

das E-Book, -s _____

der E-Book-Reader, - _____

der Laptop, -s _____

das Radio, -s _____

das Smartphone, -s _____

die Spielekonsole, -n _____

das Tablet, -s _____

der Bildschirm, -e _____

die Tastatur, -en _____

die Maus, ⸚e _____

das Kabel, - _____

der Lautsprecher, - _____

die Webseite, -n _____

der Link, -s _____

der Kontakt, -e _____

in Kontakt bleiben _____

Aktivitäten mit Medien

an sein (*Mein Handy ist immer an.*) _____

an|klicken _____

tippen _____

checken (*Mails checken*) _____

downloaden _____

herunter|laden, er lädt herunter, hat heruntergeladen _____

hoch|laden, er lädt hoch, hat hochgeladen _____

kopieren _____

löschen _____

mailen _____

senden _____

weiter|leiten _____

bloggen _____

der Blogbeitrag, ⸚e _____

chatten _____

posten _____

teilen _____

Fotos teilen _____

Dinge vergleichen

der Vergleich, -e _____

leicht _____

als (*Das Tablet ist leichter als der Laptop.*) _____

wie (*Der Laptop ist nicht so leicht wie das Tablet.*) _____

genauso (*Der Laptop ist genauso praktisch wie das Tablet.*) _____

über Arbeit sprechen

das Start-Up, -s _____

gründen _____

ein Start-Up gründen _____

der/die Studierende, -n _____

entwickeln (*eine App entwickeln*) _____

programmieren _____

Meinung äußern

die Umfrage, -n _____

kommentieren _____

meinen _____

mit|teilen _____

kritisch _____

blöd _____

peinlich _____

privat (*Das ist privat.*) _____

dass (*Ich finde, dass das gut ist.*) _____

Kino und Filme

der Actionfilm, -e _____

der Fantasy-Film, -e _____

die Komödie, -n _____

der Krimi, -s _____

der Liebesfilm, -e _____

der Thriller, - _____

die Filmmusik (Sg.) _____

die Handlung, -en _____

Worum geht es im Film? _____

der Trailer, - _____

die Hauptperson, -en _____

das Talent, -e _____

der Humor (Sg.) _____

der Witz, -e _____

spielen (*Der Film spielt in Berlin.*) _____

einfach (*Der Film war einfach toll.*) _____

logisch _____

real _____

andere wichtige Wörter und Wendungen

aus|probieren _____

gewinnen, er gewinnt, hat gewonnen _____

lachen _____

weinen _____

flüstern _____

dumm, dümmer, am dümmsten _____

fröhlich _____

nah, näher, am nächsten _____

schwierig _____

still _____

vorsichtig _____

der Enkel, - _____

die Enkelin, -nen _____

die Freundschaft, -en _____

die Kindheit (Sg.) _____

das Schicksal, -e _____

die Sorge, -n (*Sorgen haben*) _____

sterben, er stirbt, ist gestorben _____

tot _____

das Tier, -e _____

manche, mancher _____

mehrmals _____

plötzlich _____

überhaupt (*Das hat mir überhaupt nicht gefallen.*) _____

unbedingt _____

zuletzt _____

Wichtig für mich:

_____

_____

_____

Welche Filme gibt es? Ergänzen Sie die Buchstaben.

1. die K__m__di__

2. der Th__ill__ __

3. der Ac__i__nf__l__

4. der K__i__ __

5. der __a__t__s__-Fi__m

6. der L__ __be__f__ __m

Was kann man damit machen? Notieren Sie möglichst viele Verben.

die Mail: _____

die App: _____

das Foto: _____

das Smartphone: _____

Prüfungstraining

In den Plattformen im Übungsbuch bereiten wir Sie auf die Prüfungen *Goethe-Zertifikat A2* und *telc Deutsch A2 (Start Deutsch 2)* vor.

	telc Deutsch A2 (SD)	Plattform	Goethe-Zertifikat A2 (GZ)	Plattform
Hören	Teil 1	1	Teil 1	2
	Teil 2	2	Teil 2	4
	Teil 3	3	Teil 3	3
			Teil 4	2
Lesen	Teil 1	1	Teil 1	2
	Teil 2	1	Teil 2	1
	Teil 3	4	Teil 3	4
			Teil 4	3
Schreiben	Teil 1	2	Teil 1	1
	Teil 2	3	Teil 2	4
Sprechen	Teil 1	1	Teil 1	2
	Teil 2	3	Teil 2	3
	Teil 3	4	Teil 3	4

Sprechen: Teil 1 – Sich vorstellen

P
SD

1 a **Machen Sie den Prüfungsteil *telc Deutsch A2*, Sprechen, Teil 1. Arbeiten Sie zu zweit. Stellen Sie sich vor.**

b **Stellen Sie Ihrem Partner / Ihrer Partnerin zwei Fragen zu seiner/ ihrer Person. Antworten Sie auch auf seine/ihre Fragen.**

Teil 1 Sich vorstellen

Name?

Alter?

Land?

Wohnort?

Sprachen?

Beruf?

Hobby?

Schreiben: Teil 1 – Eine SMS schreiben

P
GZ

2 **Machen Sie den Prüfungsteil *Goethe-Zertifikat A2*, Schreiben, Teil 1.**

Teil 1

Ihr Freund Florian will morgen Abend mit Ihnen ins Kino gehen. Schreiben Sie eine SMS.
- Entschuldigen Sie sich, dass Sie morgen nicht können.
- Schreiben Sie, warum.
- Machen Sie einen Vorschlag für einen anderen Termin.

Schreiben Sie 20–30 Wörter.
Schreiben Sie zu allen drei Punkten.

Hören: Teil 1 – Ansagen am Telefon verstehen

3 **Machen Sie den Prüfungsteil** *telc Deutsch A2*, **Hören, Teil 1.**

Teil 1 Sie hören fünf Ansagen am Telefon. Zu jedem Text gibt es eine Aufgabe. Ergänzen Sie die Telefonnotizen. Sie hören jeden Text **zweimal**.

Beispiel

🔊 1.25 **0**

> **Praxis Dr. Weiß**
>
> neuer Termin
>
> Telefonnummer: _89 45 303_

🔊 1.28 **3**

> **Verabredung mit Simon**
>
> Treffen im:
>
> _____

🔊 1.26 **1**

> **Olaf**
> Party am Samstag
>
> mitbringen:
>
> _____

🔊 1.29 **4**

> **Foto-Workshop**
>
> Preis:
>
> _____

🔊 1.27 **2**

> **Herr Kanter**
> Treffen mit Kunden aus Norwegen
>
> neue Uhrzeit: _____

🔊 1.30 **5**

> **Café Zentral**
>
> für Moni arbeiten am:
>
> _____

Lesen: Teil 2 – Eine Zeitungsmeldung verstehen

P
SD

4   **Machen Sie den Prüfungsteil *telc Deutsch A2*, Lesen, Teil 2.**

Teil 2   Lesen Sie den Text und die Aufgaben 1–5.
Sind die Aussagen **richtig** (+) oder **falsch** (–)?
Kreuzen Sie an.

Beispiel

		richtig	falsch
0	Michael Landhort war in Hamburg gern in der Schule.	+	✗
1	Michael besucht jetzt eine Schule in England.	+	–
2	In der Schule hat Michael ein Einzelzimmer.	+	–
3	Die Mitschüler lernen von Michael Deutsch.	+	–
4	Früher waren 25 Schüler in Michaels Klasse.	+	–
5	Michael ist froh, dass er die Schule besuchen kann.	+	–

Glück gehabt

Michael Landhort ist 18 Jahre alt und er sagt: „Ich gehe gern in die Schule. Ich weiß, das ist uncool, aber es ist so. Und zum ersten Mal nach 10 Jahren Schule in Hamburg fühle ich mich hier wirklich gut."

Seine Schule ist eine Privatschule in England, er wohnt auch in der Schule. Vor einem Jahr ist Michael mit seinem Vater nach Manchester gezogen. Am Anfang hat er alles schrecklich gefunden: ein Zimmer zusammen mit einem Mitschüler, die Dusche und das WC auf dem Flur. Das war in Hamburg anders.

Englisch ist inzwischen die zweite Sprache von Michael Landhort geworden. Ich muss immer Englisch sprechen, niemand sonst spricht Deutsch. „Ich träume sogar in der Nacht auf Englisch", sagt er.

In seiner Klasse sind nur 12 Schüler, nicht 25 wie zuletzt in Hamburg. „Ich muss hier viel für die Schule arbeiten", sagt er, „aber die Lehrer sind auch wie Kollegen. Sie helfen mir sehr." Aber Michael weiß auch, dass er Glück hat. „Ich kann diese Schule nur besuchen, weil mein Vater viel Geld hat. Dieses Glück haben nicht viele."

Lesen: GZ, Teil 2 / SD, Teil 1 – Infotafeln verstehen

P
GZ/SD

5 Machen Sie den Prüfungsteil *Goethe-Zertifikat A2*, Lesen, Teil 2 bzw. *telc Deutsch A2*, Lesen, Teil 1.

Teil 2 / 1 Lesen Sie die Aufgaben 1–5 und die Informationen am Eingang von einer Messe für neue Medien. Wohin gehen Sie?
Kreuzen Sie an: a , b oder c .

Beispiel

0 Sie möchten sich über Bücher für Ihr Tablet informieren.
☒ Erdgeschoss
b 3. Stock
c anderer Stock

1 Sie sind am Finger verletzt und brauchen ein Pflaster.
a 2. Stock
b 4. Stock
c anderer Stock

2 Sie haben Durst und möchten einen Kuchen essen.
a 3. Stock
b 4. Stock
c anderer Stock

3 Sie suchen ein Lernprogramm für Ihren 12-jährigen Sohn.
a Erdgeschoss
b 2. Stock
c anderer Stock

4 Sie möchten Ihrer Großmutter ein Handy schenken.
a 2. Stock
b 3. Stock
c anderer Stock

5 Sie möchten Ihre Sportaktivitäten kontrollieren.
a 1. Stock
b 4. Stock
c anderer Stock

Die Medien-Messe	
Erdgeschoss	Fernseher: LED, 4K / Beamer / E-Reader und E-Books / Sound-Systeme / alles für das Heim-Kino Ausgang zu Taxi und Bus / Straßenbahn
1. Stock	Smartphones / Smartwatches / Spiele für PC und Handy / Apps / Zubehör Restaurant „Cyber" – Pizza und Pasta / Fundbüro Konzert- und Vortragsbühne
2. Stock	Internet der Zukunft / Soziale Netzwerke / Sicherheit im Internet: Anti-Virus Software, Tipps und Infos / Lernsoftware / Software für Grafik und Design Aufzug / Notarzt & Erste Hilfe
3. Stock	PCs / Laptops / Netbooks / Tablets / Drucker und 3D-Drucker / Scanner / Cloud-Solutions Spielzimmer / Café „Intermezzo" / Telefon / Toiletten
4. Stock	Für die Generation 65+: Computer, Smartphones, Tablets und Spiele Neue Medien für die Kleinsten: Spiele für zu Hause und für unterwegs Spielekonsolen / VR-Brillen / Umweltschutz / Green IT Getränkeautomat

Große und kleine Gefühle

1 a Lesen Sie die Texte und ordnen Sie die Fotos zu.

Meine Schwester hat im Juli geheiratet.
Wir waren in der Kirche und dann haben
wir bis drei Uhr morgens gegessen, getanzt und
gefeiert. Alle waren da: Familie und Freunde,
ungefähr 80 Leute. Das war schön!

1 ☐

← Tim 📹 📞 ⋮

Endlich habe ich es geschafft: Ich darf
Auto fahren! Jetzt muss ich nur noch viel
arbeiten, dann kann ich auch ein Auto
kaufen.

2 ☐

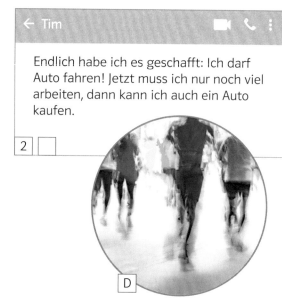

D

Geschafft 😊

A

Leon ist da!

← 🕊 Otto 📹 📞 ⋮

Dritter Platz!!! Gestern bin ich beim
Stadt-Marathon mitgelaufen und ich
habe eine Medaille bekommen!
Nächstes Jahr versuche ich es wieder.
Vielleicht werde ich dann Erster. 😊

3 ☐

C

Endlich mobil!

B

Hochzeit im Sommer

Nun bin ich vier Wochen hier! Alle
sind nett und helfen mir. Heute
habe ich für die Kollegen eine
Feier gemacht.

4 ☐

Liebe Freunde,

vielen Dank für die vielen Glückwünsche
und Geschenke zur Geburt von Leon!
Wir drei haben uns sehr, sehr, sehr
gefreut!!! Die Sachen sind so schön,
danke!

5 ☐

Mein erster Monat!

b Lesen Sie die Texte noch einmal. Sind die Sätze richtig oder falsch? Kreuzen Sie an.

	richtig	falsch
1. Die Hochzeit hat drei Tage gedauert.	☐	☐
2. Die Person mit dem Führerschein hat ein Auto gekauft.	☐	☐
3. Der Marathonläufer möchte nie wieder so lange laufen.	☐	☐
4. Die Person ist neu in der Firma.	☐	☐
5. Die Familie hat viele Geschenke bekommen.	☐	☐

c   **Ergänzen Sie die Sätze.**

1. Herzlichen Glückwunsch! Du hast die __ __ __ __ __ __ bestanden. ☺

2. Meine Schwester hat jetzt ihren Führerschein. Sie ist sehr __ __ __ __ __ und erzählt es jedem.

3. Hast du schon den kleinen Bruder von Lina gesehen? Der ist ja so __ __ __.

4. Was ist denn im Paket? Ich bin schon ganz __ __ __ __ __ __ __ __ __.

→•←   **2   Wählen Sie.**

A   **Ergänzen Sie den Text. Die Wörter unten helfen.**   B   **Ergänzen Sie den Text.**

Bei uns (1) _____ man eine Hochzeit so: Oft machen die Frauen und die Männer vor

dem Hochzeitstag einen Ausflug oder eine Party – die Frauen mit ihren Freundinnen und die

(2) _____ mit ihren Freunden. Zur Hochzeit (3) _____ Familie und

Freunde. Danach gibt es Getränke und viele Leute (4) _____ Fotos.

Dann fahren die (5) _____ und das Brautpaar zu einem Restaurant. Dort gibt es

(6) _____ und Getränke und man feiert bis spät in der Nacht. Auf Hochzeitsfeiern gibt

es oft Reden für das Paar und Spiele. Es gibt auch Musik und alle (7) _____. Oft fährt das

Paar am nächsten (8) _____ in Urlaub.

kommen | feiert | Gäste | machen | Männer | Tag | tanzen | Essen

Ich bin glücklich, wenn ...

3 a   Emotionen: positiv oder negativ? Ordnen Sie zu und ergänzen Sie dann das Gespräch.

Angst haben | froh sein | traurig sein | etwas schade finden | etwas schön finden |
unglücklich sein | etwas cool finden | nervös sein | glücklich sein | stolz sein

☺	☹

○ Na, wie geht's?

● Es geht so. Ich habe gleich eine Präsentation

   vor 20 Leuten und bin schrecklich

   (1) _____.

○ Oh, das verstehe ich, aber das schaffst du

   schon. Aber sag mal, wie geht es denn Fiona?

● Gut! Fiona hat letzte Woche geheiratet. Sie ist

   sehr (2) _____.

○ Ach, stimmt ja. Und wie geht es Gabriel?

● Na ja, seine Freundin ist gestern nach

   Australien geflogen und jetzt ist er natürlich

   (3) _____.

   Aber wie geht es dir denn?

○ Nicht so gut. Heute Nachmittag muss ich

   zum Zahnarzt und ich habe

   (4) _____!

● Du Arme!

b **Was ist Glück? Sehen Sie die Fotos an und ordnen Sie zu.**

Ralf

Lena

Maria

1. Ralf ist glücklich, _____

2. Lena ist froh, _____

3. Für Maria ist Glück, _____

4. Wenn sie Freunde trifft, _____

A wenn sie Zeit für Bücher hat.

B wenn er mit seinem Hund spazieren geht.

C geht es Lena sehr gut.

D wenn sie shoppen geht.

c **Nebensatz mit *wenn*. Wo fehlt das Verb im *wenn*-Satz? Markieren Sie. Schreiben Sie dann den ganzen Satz.**

1. Wenn ich Zeit, gehe ich ins Kino. (haben)

   Wenn ich Zeit habe, gehe ich ins Kino.

2. Ich bin froh, wenn eine Freundin. (mitkommen)

   _____

3. Nach dem Film gehe ich in ein Restaurant, wenn ich nicht zu müde. (sein)

   _____

4. Wenn es nicht, fahre ich mit dem Rad nach Hause. (regnen)

   _____

d **Viele Fragen. Antworten Sie mit *Ja, wenn* …**

1. Lernen wir morgen Nachmittag zusammen? (nicht arbeiten müssen)

   Ja, wenn ich nicht arbeiten muss.

2. Rufst du mich später an? (zu Hause sein)

   _____

3. Gehen wir am Samstag zusammen wandern?
   (das Wetter gut sein)

   _____

4. Holst du mich vom Bahnhof ab? (das Auto von Tom haben können)

   _____

e **Schreiben Sie Sätze mit *wenn*.**

1. Zeit haben – Sport machen

   Wenn ich Zeit habe, mache ich Sport.

2. joggen gehen – das Wetter schön sein

   Ich

3. es regnet oder schneit – ins Fitness-Studio gehen

   Wenn

4. Sport machen – gute Laune haben

   Wenn

f ***weil*, *dass* oder *wenn*? Ergänzen Sie.**

1. Felix sagt, _____ er nie Angst hat.

2. Er ist traurig, _____ Mona ihn nicht angerufen hat.

3. _____ er traurig ist, spricht er immer mit einem Freund.

4. Felix hofft, _____ er die Prüfung besteht.

5. Was macht Felix, _____ er es nicht schafft?

g **Schreiben Sie die Sätze zu Ende.**

1. Ich bin müde, weil _____ .

2. Ich hoffe, dass _____ .

3. Ich bin froh, wenn _____ .

4 a **Was passt wo? Lesen Sie die Mails und ergänzen Sie.**

gratulieren | viel Spaß | Für die Zukunft | Alles Gute | herzlichen Dank | Hochzeit

Liebe Nelli,

(1) _____ für die Einladung zu deinem Geburtstag. Leider kann ich nicht

kommen, weil ich an diesem Wochenende arbeiten muss. 😟

(2) _____ zu deinem Geburtstag und (3) _____ .

Bis bald!

Henry

Liebe Julia, lieber Marcel,

wir (4) _____ euch herzlich zu eurer (5) _____ !

(6) _____ wünschen wir euch viel Glück.

Herzliche Grüße

Linus und Lars

b **Lesen Sie Monas Nachricht und hören Sie die Mitteilungen auf der Mailbox. Notieren Sie die wichtigsten Informationen in Stichworten.**

1.31–34

> Liebe Freunde,
> ich werde 25 und das möchte ich mit euch feiern!
> Wann: Samstag, 11. 08., 20 Uhr
> Wo: Café Schnitt
> Geht das bei euch? Meldet euch bitte bis 5. August 🌍

1. Ron: kann erst um ...

2. Anja: ...

3. Emma: ...

4. Tom: ...

c **Schreiben Sie Mona eine Nachricht. Bedanken Sie sich für die Einladung und schreiben Sie, dass Sie kommen können.**

Die Geburtstagsparty

5 **Wählen Sie.**

A Lesen Sie die Beschreibungen und markieren Sie: Was ist wichtig für die Person? Lesen Sie dann die Anzeigen. Welche Anzeige passt für wen? Eine Anzeige bleibt übrig.

B Lesen Sie die Beschreibungen und die Anzeigen. Welche Anzeige passt für wen? Eine Anzeige bleibt übrig.

1. Ramon möchte eine Geburtstagsparty machen. Er sucht einen Raum für die Feier. Er möchte das Essen und die Getränke selbst mitbringen. Dann ist es günstiger. _____

2. Lenas Oma wird 70 Jahre alt. Das möchte die Familie an einem Nachmittag feiern. Sie möchten draußen sitzen und es soll Kaffee und Kuchen geben. _____

3. Caro arbeitet in einer Firma und sucht einen Raum für die Weihnachtsfeier. Auf der Feier gibt es Reden, Essen und Getränke für alle. Die Feier soll von 17:00 bis 21:00 Uhr gehen. _____

A

Feiern und essen – mal anders!

Machen Sie mit uns eine Stadtführung und genießen Sie Spezialitäten in vier Restaurants.

Beginn immer freitags um 18:00 Uhr.

Mehr Infos und Preise unter
Stadt-baer.de

C

Stadtteilzentrum CORI

Sie brauchen einen Partyraum, aber er soll nicht so teuer sein?

Da haben wir was für Sie: Mieten Sie unseren Partyraum mit Küche.

Sie holen den Schlüssel ab, bereiten alles vor und putzen nach der Party die Räume.

Genauere Infos unter www.c-o-r-i.de

B

Kochschule Nasch
Firmenfeiern, Feste und Events?

Bei uns sind Sie richtig. Wir bieten nicht nur Kochkurse. Bei uns können Sie auch feiern und wir kochen für Sie. Neugierig?

Mehr Infos und Preise unter
Koch-Nasch.com

D

Genießen – Reden – Feiern
Unser Café ist klein, aber fein.

Wir backen selbst und mit Liebe. Gerne bedienen wir Sie und Ihre Gäste auch in unserem Garten.

Mehr Infos unter www.gabis-gartencafe.de

---

6 a **Welche Satzteile gehören zusammen? Verbinden Sie.**

1. ○ Mona, wir treffen _____   A sich entschuldigt. Sie ist krank.

2. ● Ja, ich freue _____   B uns um acht Uhr, oder?

3. △ Mona, warum ärgerst du _____   C mich nächste Woche mit ihr.

4. ● Ach, ich ärgere _____   D dich?

5. △ Ja, schade, aber Ida hat _____   E mich schon auf die Party.

6. ● Ach so! Dann treffe ich _____   F mich über Ida. Sie ist nicht da!

> **!**
>
> **Verben mit Reflexiv-pronomen**
> Reflexivpronomen und Personalpronomen im Akkusativ sind gleich.
> *Du freust **dich**. –*
> *Ich sehe **dich**.*
> ! *er/es/sie* und *sie/Sie*
> *Er freut **sich**. – Ich sehe **ihn**.*
> *Sie freuen **sich**. – Ich sehe **sie/Sie**.*

b **Ergänzen Sie die Reflexivpronomen.**

○ Gestern Abend habe ich (1) _____ über Tim geärgert.

● Warum? Was hat er gemacht?

○ Wir wollten (2) _____ treffen, aber Tim hat eine Stunde mit seinem Bruder telefoniert.

Sie haben (3) _____ schon seit zwei Monaten nicht mehr unterhalten.

● Ja und? Das ist doch nett!

○ Ja, aber wir wollten ins Kino gehen. Das war dann zu spät.

● Habt ihr (4) _____ dann gar nicht getroffen?

○ Doch, doch. Er hat mich noch zum Essen eingeladen.

● Und hast du (5) _____ nicht gefreut?

○ Doch. Aber den Film habe ich immer noch nicht gesehen.

Wollen wir (6) _____ morgen treffen und ins Kino gehen?

● Gern!

c **Ergänzen Sie die Verben und Reflexivpronomen im Präsens und Perfekt.**

sich ärgern | sich entscheiden | sich treffen | sich freuen | ~~sich erinnern~~ | sich unterhalten | sich interessieren

Hallo Shirin,   ☒

(1) _*erinnerst*_ du _____ noch an mich? Wir haben (2) _____ letzte Woche bei der Party

sehr gut _____. Du hast mir viel über dein Studium erzählt und das war sehr

spannend. Ich habe (3) _____ jetzt auch für ein Studium _____. Ich

(4) _____ _____ sehr für Jura und fange im September mit dem Studium an.

Ich habe dir ja erzählt, dass ich (5) _____ jeden Tag über meine Chefin _____.

Das ist dann ab Herbst vorbei! 😊 Vielleicht können wir (6) _____ ja mal _____?

Ich (7) _____ _____, wenn du dich meldest.

Viele Grüße und bis bald

Ivana

7 **Nelli und Thilo lernen sich auf einer Party kennen. Schreiben Sie eine Geschichte. Verwenden Sie mindestens fünf Ausdrücke.**

nett finden | sich entschuldigen | ins Kino gehen | sich streiten | sich nicht mehr ärgern |
einen Ausflug machen | sich oft treffen | sich unterhalten | …

Nelli und Thilo haben sich auf einer Party kennengelernt. Sie haben sich sehr gut unterhalten und …

8 a **Ein Freund / Eine Freundin erzählt. Lesen Sie. Welche Reaktion passt? Kreuzen Sie an.**

1. Gestern habe ich auf einem Fest einen Schulfreund getroffen. Wir haben uns 10 Jahre nicht gesehen.

|a| Das macht doch nichts.
|b| Wirklich?
|c| Das ist mir aber peinlich!

2. Gestern ist mein Handy auf den Boden gefallen. Aber es ist nicht kaputt.

|a| So ein Pech.
|b| Das tut mir leid.
|c| Da hast du aber Glück gehabt!

3. Du hattest doch gestern Geburtstag und ich habe dich nicht angerufen. Entschuldige bitte.

|a| Da freue ich mich sehr.
|b| Das darf doch nicht wahr sein.
|c| Das macht doch nichts.

b **Hören Sie jetzt und reagieren Sie.**

1.35

c **Ordnen Sie die Gespräche.**

A Auf der Straße

_____ ○ Ich arbeite hier in der Nähe. Und du?

_____ ● Ja. Hallo Tina! Wir haben uns ja schon so lange nicht mehr gesehen. Was machst du hier?

_____ ○ Sehr gerne, ich freue mich riesig!

_1_ ○ Hallo, Maria? Bist du das?

_____ ● Ich arbeite auch hier in der Nähe! Das ist ja toll! Dann können wir uns ja öfter treffen.

B Im Zug

_____ ○ Danke, Ihnen auch.

_____ ○ Keine Sorge. Es geht schon wieder.

_1_ ○ Aua! Passen Sie doch auf! Sie sind auf meinen Fuß getreten.

_____ ● Da bin ich aber froh. Ich wünsche Ihnen noch einen schönen Tag.

_____ ● Oh … Entschuldigung. Das tut mir leid! Tut es sehr weh?

9 a **Wie klingen die Sätze? Hören Sie und notieren Sie.**

1.36

1. Ich bin am Samstag nicht da.
2. Weißt du, wie spät es ist?
3. Das weiß ich nicht.
4. Ich komme gleich.
5. Das geht nicht.
6. Es regnet.
7. Ich hab' keine Zeit.
8. Das ist ja toll.

fröhlich: _____ traurig: _____ ärgerlich: _____ gestresst: _____

b **Hören Sie noch einmal und sprechen Sie nach.**

1.37

c **Arbeiten Sie zu zweit. Sprechen Sie die Sätze fröhlich, traurig, ärgerlich oder gestresst. Der/Die andere sagt, was passt.**

1. Morgen ist die Party von Ben.
2. Per hatte echt Glück.
3. Ich habe keine Zeit.
4. Das ist ja interessant.
5. Das ist aber schön.
6. Carmen freut sich sehr.

Ein Fest im Süden

🔊 **10 a**　**Lesen und hören Sie. Was feiert man hier? Warum?**

1.38

Auf zum Almabtrieb – Besuchen Sie uns im Herbst!

„Almabtrieb", „Viehscheid" oder „Alpabzug" – egal, wie man es nennt, es ist ein Erlebnis: Im Sommer sind die Kühe in den Bergen auf der Alm. Im Herbst kommen Sie wieder zurück ins Dorf.

Begrüßen Sie mit uns die Kühe, wenn sie von der Alm zurückkommen. Wenn der Sommer in den Bergen gut war, tragen die Kühe Blumen und Glocken. Das ist jedes Jahr im September ein Fest!

Kühe im Gras auf der Alm

die Glocken für den Almabtrieb

Ankunft im Dorf

Es gibt traditionelle Musik und …

… man kann Gerichte und Getränke aus der Region probieren.

typische Gerichte

Wir freuen uns auf Ihren Besuch!　Hören Sie hier mehr zum Thema.

---

b　**Ergänzen Sie den Text.**

ist auch bekannt für | im September | macht sicher Spaß | besuchen die Veranstaltung | Im Sommer

Der Almabtrieb

In den Alpen-Regionen im Süden Deutschlands, in Österreich und in der Schweiz findet immer

(1) _____ der Almabtrieb statt. In der Schweiz sagt man auch

Alpabzug. (2) _____ sind die Kühe in den Bergen. Im Herbst kommen

sie wieder in die Dörfer. Im Winter und bei Schnee können sie nicht in den Bergen bleiben. Wenn alle

Tiere gesund sind, tragen sie Glocken und sind geschmückt.

Es gibt ein Fest und viele Menschen (3) _____.

Der Almabtrieb (4) _____ traditionelle Musik und Essen aus der

Region. Ein Besuch beim Almabtrieb (5) _____.

Hier fühle ich mich wohl

11 **Lesen Sie die Blogeinträge im Kursbuch, Aufgabe 11a noch einmal. Ordnen Sie zu.**

1. Paula ist Deutschlehrerin und freut sich, _D_

2. Paula unterrichtet gern und ist froh, _____

3. Wenn sie am Abend ausgeht, dann _____

4. Paula ist froh, dass _____

5. Chandan hat nicht gedacht, _____

6. Er findet es schön, dass _____

7. Für seine Freunde ist es kein Problem, _____

8. Chandan war überrascht, dass man _____

A sind ihre Freunde nie pünktlich.

B die Busse meistens pünktlich fahren.

C zu einer Party Essen und Getränke mitbringt.

D dass sie im Ausland arbeitet.

E man in Argentinien nicht nur Tango tanzt.

F wenn Chandan etwas nicht versteht.

G dass die Anmeldung an der Uni so einfach ist.

H wenn im Kurs alle Spaß haben.

12 a **Wie heißt das Gegenteil? Notieren Sie.**

spät | spannend | schwierig | teuer | unordentlich |
kurz | pünktlich | traurig | unsympathisch | unwichtig

> **!** Das Präfix **un-** drückt das Gegenteil aus.
> *höflich* ⟷ **un***höflich*

1. fröhlich ⟷ _____

2. verspätet ⟷ _____

3. nett ⟷ _____

4. langweilig ⟷ _____

5. ordentlich ⟷ _____

6. einfach ⟷ _____

7. wichtig ⟷ _____

8. billig ⟷ _____

9. lang ⟷ _____

10. früh ⟷ _____

b **An einem anderen Ort / In einem anderen Land. Ergänzen Sie.**

hilfsbereit | überrascht | unpünktlich | wichtig

1. Ich habe gedacht, dass hier die Busse immer _____ sind. Aber das stimmt nicht!

2. Es ist hier sehr _____, dass man seine Freunde einlädt.

3. Ich hatte Angst, dass die Menschen unfreundlich sind. Aber das ist nicht so, alle sind sehr

   _____.

4. Ich war sehr _____, dass man hier so spät am Abend isst.

R1 **Ergänzen Sie die Sätze.**

1. Ich finde es nicht gut, wenn …
2. Ich bin glücklich, wenn …
3. Ich bin traurig, wenn …

4. Wenn ich …, habe ich Angst.
5. Wenn ich …, entspanne ich mich.
6. Wenn ich …, freue ich mich sehr.

	☺☺	☺	☻	☹	KB	ÜB
✏ Ich kann Emotionen beschreiben.	☐	☐	☐	☐	3	3a, b, g

R2 **Sprechen Sie zu zweit.**

A

Ihr Partner / Ihre Partnerin erzählt. Reagieren Sie passend zu jeder Information.
Erzählen Sie Ihrem Partner / Ihrer Partnerin: eine Einladung zu einer Party bekommen / an dem Tag lange arbeiten / nach der Arbeit zur Party fahren / nichts mehr zum Essen da sein

B

Erzählen Sie Ihrem Partner / Ihrer Partnerin:
eine Reise nach Basel machen / das Wetter schlecht sein / einen Schulfreund nach zehn Jahren wiedersehen / das Handy verlieren
Ihr Partner / Ihre Partnerin erzählt. Reagieren Sie passend zu jeder Information.

	☺☺	☺	☻	☹	KB	ÜB
○ Ich kann Freude oder Bedauern ausdrücken.	☐	☐	☐	☐	8b–c	8a–b

R3 **Hören Sie die Veranstaltungstipps und ergänzen Sie die Informationen.**

1.39–40

1. Altstadtfest
Wann ist das Fest?
Was gibt es?
Welche Straßenbahn fährt hin?

2. Chiemsee-Festival
Wie viele Bands spielen?
Was kostet eine Karte?
Um wie viel Uhr fängt es an?

	☺☺	☺	☻	☹	KB	ÜB
📖🔊 Ich kann Informationen über Veranstaltungen verstehen.	☐	☐	☐	☐	10a–c	10

Außerdem kann ich …	☺☺	☺	☻	☹	KB	ÜB
🔊📖 … Informationen zu besonderen Ereignissen und Festen verstehen.	☐	☐	☐	☐	1b	1
○✏ … ein Fest beschreiben.	☐	☐	☐	☐	2, 5a	2
📖🔊 … Einladungen, Glückwünsche und Dank verstehen und aussprechen.	☐	☐	☐	☐	4	4
○✏						
📖 … Anzeigen für Veranstaltungsräume und -orte verstehen.	☐	☐	☐	☐		5
✏ … eine kurze Geschichte schreiben.	☐	☐	☐	☐		7
🔊 … in Gesprächen Freude oder Bedauern verstehen.	☐	☐	☐	☐	8a	
○✏ … über Veranstaltungen berichten.	☐	☐	☐	☐	10d	
📖 … Berichte über Auslandserfahrungen verstehen.	☐	☐	☐	☐	11	11
○✏ … über Erfahrungen im Ausland berichten.	☐	☐	☐	☐	12	

besondere Ereignisse

die Geburt, -en   _____

schmücken   _____

die Geburtstagsparty, -s   _____

der Schultag, -e *(der erste Schultag)*   _____

der Führerschein, -e   _____

die Führerschein-prüfung, -en   _____

bestehen, er besteht, hat bestanden   _____

der Club, -s   _____

das Brautpaar, -e   _____

der Ring, -e   _____

Platz, ‥e *(Erster Platz! Ich habe gewonnen.)*   _____

der Sieg, -e   _____

die Medaille, -n   _____

das Feuerwerk, -e   _____

dabei sein   _____

Glückwünsche ausdrücken

die Glückwunschkarte, -n   _____

die Karte, -n   _____

gratulieren *(Wir gratulieren euch herzlich zur Hochzeit.)*   _____

wie *(Wie schön, ihr heiratet!)*   _____

Alles Gute!   _____

sich bedanken *(Wir möchten uns für die Geschenke bedanken.)*   _____

tausend Dank   _____

die Absage, -n   _____

stehen, er steht, hat gestanden *(Was steht auf der Karte?)*   _____

Gefühle

das Gefühl, -e   _____

die Emotion, -en   _____

Angst haben   _____

keine Ahnung haben   _____

die Laune, -n *(Ich habe heute schlechte Laune.)*   _____

die Liebe (Sg.)   _____

sich wohl|fühlen   _____

die Freude, -n   _____

Das ist ja toll!   _____

Ich freue mich riesig.   _____

So ein Glück!   _____

sich ärgern *(Ich ärgere mich über meinen Bruder.)*   _____

sich streiten, er streitet, hat gestritten   _____

das Bedauern (Sg.)   _____

Das tut mir (wirklich) leid.   _____

Schade!   _____

beruhigen   _____

Das macht (doch) nichts.   _____

Es geht schon wieder.   _____

Es ist alles okay.   _____

hoffen   _____

sich langweilen   _____

aufregend   _____

aufgeregt sein   _____

ärgerlich   _____

genervt   _____

gestresst   _____

nervös   _____

sauer *(Er kommt schon wieder zu spät. Ich bin richtig sauer!)*   _____

schlimm   _____

stolz   _____

traurig   _____

unangenehm   _____

unglücklich   _____

andere wichtige Wörter und Wendungen

sich erinnern *(Erinnerst du dich an Tims Party?)*   _____

sich gewöhnen *(Ich bin an die andere Währung gewöhnt.)*   _____

sich aus|tauschen *(Wir tauschen uns über unsere Erfahrungen aus.)* _____

fallen, er fällt, ist gefallen *(Das Glas ist auf den Teppich gefallen.)* _____

sich unterhalten, er unterhält, hat unterhalten *(Auf der Party habe ich mich mit Tim unterhalten.)* _____

an|bieten, er bietet an, hat angeboten _____

sich aus|ruhen _____

aus|sprechen, er spricht aus, hat ausgesprochen _____

bewundern _____

sich entscheiden, er entscheidet, hat entschieden _____

unterrichten _____

weg|fahren, er fährt weg, ist weggefahren _____

außerdem _____

inzwischen _____

das Frühjahr, -e _____

die Zukunft (Sg.) _____

das Gegenteil, -e _____

das Wohnheim, -e _____

der Verkehr (Sg.) _____

verspätet _____

die Währung, -en _____

kostenlos _____

niemand _____

nirgends _____

fremd _____

hilfsbereit _____

ordentlich _____

wahr _____

weltweit _____

wenn …, dann … *(Wenn meine Freundin wegfährt, dann bin ich traurig.)* _____

Wichtig für mich:

_____

_____

_____

Notieren Sie positive und negative Gefühle.

☺   ☹

_____   _____

_____   _____

_____   _____

Reagieren Sie.

Sie bekommen eine Einladung zu einer Hochzeit.

_____

Sie haben einen Freund / eine Freundin nicht angerufen.

_____

Ein Wasserglas ist auf den Boden gefallen. Ihr Kollege / Ihre Kollegin entschuldigt sich.

_____

Leben in der Stadt

1 a   **Sehen Sie die Bilder an und ordnen Sie die Wörter zu. Es gibt mehrere Möglichkeiten.**

die Müllabfuhr | der Fahrer / die Fahrerin | das Krankenhaus | die öffentlichen Verkehrsmittel | der Müll | die Polizei | der Patient / die Patientin | das Restaurant | ~~die Behörde~~ | die Straßenbahn | die Straßenreinigung | der Gast

die Behörde —

b   **Welche Wörter kennen Sie noch? Schreiben Sie sie mit Artikel in die Bilder.**

c   **Ergänzen Sie die Beschreibung zu den Bildern.**

kümmert sich | serviert | sammeln ein | bedienen | verkauft | genehmigen | erklären | bestellen | hilft | macht sauber | ~~prüfen~~

Auf Bild A sieht man das Rathaus. Hier (1) _prüfen_ die Beamten Formulare und sie

(2) _____ Anträge. Ein Polizist (3) _____ um Ordnung. Er

läuft zu einem Radfahrer und will ihm (4) _____, dass er hier nicht fahren darf.

Auf Bild B ist ein Restaurant. Die Kellner (5) _____ die Gäste: Eine Kellnerin

(6) _____ Getränke und am Tisch rechts (7) _____

Gäste das Essen.

Auf Bild C sieht man die Müllabfuhr. Die Männer (8) _____ die Mülltonnen

_____ und die Straßenreinigung (9) _____ die Straße

_____ .

Auf Bild D sieht man ein Krankenhaus. Ein Pfleger (10) _____ einer Patientin.

Neben dem Krankenhaus (11) _____ ein Mann Obst und Gemüse.

Neu in Wien

2 a Was passt zusammen? Ordnen Sie die Antworten zu.

A Ich arbeite **Teilzeit**, meistens drei Abende in der Woche. | B Ja. Es ist gut, dass ich Englisch spreche und auch Italienisch-**Kenntnisse** habe. | C Ja, ich habe schon **Erfahrung** mit der Arbeit in Restaurants. | D Ja, ich arbeite in einem Restaurant. Ich habe **mich** da vor drei Wochen **beworben**. | E Ich habe eine **Stellenanzeige** im Internet gelesen. | F Ja, natürlich, da muss man alle **Unterlagen** mitbringen.

1. ○ Sag mal, hast du eigentlich einen Job neben dem Studium? – ● _D_

2. ○ Wie hast du den Job gefunden? – ● ____

3. ○ Hast du früher schon in Restaurants gearbeitet? – ● ____

4. ○ Musst du auch Fremdsprachen sprechen? – ● ____

5. ○ Musstest du zum Vorstellungsgespräch deine Zeugnisse mitbringen? – ● ____

6. ○ Und wie oft arbeitest du? – ● ____

b Lesen Sie die Beschreibungen und die Stellenanzeigen. Welche Anzeige passt für wen? Für eine Person gibt es keine Anzeige.

1. Lara studiert und sucht einen Job am Wochenende. Sie möchte acht Stunden arbeiten. ____

2. Mario spricht mehrere Sprachen und interessiert sich für andere Länder. Er kann nur nachmittags arbeiten. ____

3. Jens ist Sportstudent und sucht eine Stelle in einem Sportgeschäft für einige Stunden am Nachmittag. ____

4. Sarah macht eine Ausbildung zur Krankenpflegerin. Sie möchte gern abends anderen Menschen helfen. ____

5. Nicole ist sportlich und möchte gern draußen arbeiten. Die Arbeitszeiten sind ihr egal. ____

Kümmerst du dich gerne um andere?
Wir suchen dich!
Bei uns gehst du z. B. einkaufen, liest vor oder kümmerst dich um Formulare. Das alles für Menschen, die krank sind.
Die Arbeitszeiten sind flexibel von Mo-Fr. – Tel. 040-918171 Marc
A

Café Stadtpark
sucht eine Kellnerin / einen Kellner für Sonntag 10–18 Uhr.
Du bist freundlich und sympathisch? Komm zu uns, auch ohne Erfahrung in der Gastronomie.
Tel. 040-560561
C

Die Stadt ist groß – wir wollen, dass alle uns kennen!
Wer verteilt unsere Flyer überall? Vielleicht du?
In den Semesterferien, 3x in der Woche.
Bist du fit? Ruf an:
040-778191 von 9–10 Uhr
E

Hotel International
sucht **Helfer/in** an der Rezeption für drei Nächte pro Woche.
Wichtig: Englisch- und Französisch-Kenntnisse
Tel. 040-239918
B

Reisebüro Südtours
Unser Team in Innsbruck braucht Hilfe!
Wir suchen einen Reisefan mit Büroerfahrung.
Arbeitszeit von 13–18 Uhr.
Tel. 040-372971 Frau Henkel
D

Wir brauchen dringend eine/n Verkäufer/in für unseren Laden im Stadtzentrum.
Arbeitszeit: Mo–Fr 9–13 Uhr
Sport Merz
www.sportmerz.com
F

c **Was passt zusammen? Ordnen Sie zu.**

1. Morgen habe ich _____   A ganz viel über Wien erzählt.

2. Meine Vermieterin _____   B ein Konto eröffnen.

3. Sie hat mir schon _____   C in einem Restaurant arbeiten kann.

4. Heute habe ich im Zentrum _____   D einen Termin für ein Vorstellungsgespräch.

5. Ich hoffe, dass ich _____   E den Stephansdom besichtigt.

6. Bei der Bank muss ich noch _____   F ist sehr nett.

3 a **Beim Vorstellungsgespräch. Was sagt der Arbeitgeber (A), was die Bewerberin (B)? Notieren Sie.**

_B_ 1. Die Arbeit macht mir viel Spaß.

_____ 2. Ja, sehr gerne. Um wie viel Uhr soll ich kommen?

_____ 3. Haben Sie schon Erfahrung in diesem Bereich?

_____ 4. Wie ist das mit der Kleidung?

_____ 5. Wir zahlen pro Stunde 14,50 €.

_____ 6. Warum möchten Sie hier arbeiten?

_____ 7. Darf ich fragen, wie es mit der Bezahlung ist?

_____ 8. Wie oft können Sie denn bei uns arbeiten?

_____ 9. Können Sie nächsten Donnerstag einen Tag zur Probe arbeiten?

_____ 10. Ich habe schon in zwei Restaurants gearbeitet.

_____ 11. Ich bin flexibel. Ich arbeite gerne drei bis vier Mal in der Woche.

_____ 12. Hier tragen alle ein Hemd, eine Bluse oder ein T-Shirt. Wir haben da keine Regeln.

b **Welche Fragen und Antworten in 3a gehören zusammen? Notieren Sie.**

_6 + 1,_ _____

c **Ergänzen Sie die Fragen.**

Unterlagen | Bezahlung | Teilzeit | bewerben | Kenntnisse | Erfahrung

1. Warum _____ Sie sich bei uns?

2. Haben Sie schon _____ als Verkäufer?

3. Welche Fremdsprachen-_____ haben Sie?

4. Haben Sie Ihre _____ dabei?

5. Können Sie jeden Tag acht Stunden arbeiten oder geht bei Ihnen nur _____?

6. Kommen wir zum Thema „Geld". An welche _____ denken Sie?

4 a Ergänzen Sie die Sätze.

den berühmten Schokokuchen | den bekannten Koch | ~~den neuen Job~~ | der ganzen Welt |
die netten Kollegen | die richtige Kleidung | das weiße Hemd

Ich freue mich schon auf (1) _den neuen Job_

im Café. (2) _____ habe

ich schon kennengelernt, sie sind alle sehr sympathisch. Nur

(3) _____ kenne ich noch

nicht, da bin ich gespannt. Hoffentlich ist er nett. Alle sagen, dass

das Essen sehr gut ist. Die Kuchen sind besonders lecker. Ich hoffe,

dass ich (4) _____ auch bald probieren kann. Zum

Glück muss ich nichts mehr einkaufen: (5) _____ für die

Arbeit habe ich schon und (6) _____ ist frisch gewaschen.

In das Café kommen Gäste aus (7) _____.

b Notieren Sie das Gegenteil.

Jetzt bin ich seit einer Woche endlich in Rostock. Ich gehe

gern zum ~~neuen~~ (1) _alten_____ Hafen und

sehe die ~~kleinen~~ (2) _____ Schiffe. Heute

Abend gehe ich mit einer Kollegin in das ~~schlechte~~

(3) _____ Restaurant am Hafen. Da gibt es

die ~~unbekannten~~ (4) _____ Fischspezialitäten.

Ich glaube, ich nehme den ~~großen~~ (5) _____

Fischteller. Und meine Kollegin hofft, dass der ~~unfreundliche~~

(6) _____ Kellner wieder da ist. Und dann

trinken wir im ~~hässlichen~~ (7) _____

Restaurant noch eine Limonade. Sie machen sie dort selbst:

sehr lecker!

c Welches Adjektiv ist richtig? Kreuzen Sie an.

1. Die ☐ schöne ☐ schönen Altstadt von Rostock liegt nahe
   beim ☐ interessante ☐ interessanten Stadthafen.
2. Im Zentrum ist der ☐ neue ☐ neuen Markt.
3. Besuchen Sie auch die ☐ bekannte ☐ bekannten Kirche
   Sankt Marien.
4. Im ☐ historische ☐ historischen Museum finden Sie
   Informationen zur Geschichte von Rostock.
5. Die ☐ gemütliche ☐ gemütlichen Lokale am Stadthafen
   laden zu einer Pause ein.
6. Möchten Sie shoppen gehen? In den ☐ schöne ☐ schönen
   Geschäften in der Kröpeliner Straße finden Sie alles.

> **!**
>
> **Adjektivendungen**
> Nach dem bestimmten Artikel gibt es
> nur zwei Endungen: **-e** und **-en**.
> Adjektive haben im Dativ immer die
> Endung **-en**.

d   **In der Uni. Ergänzen Sie die Endungen.**

1. ○ Entschuldige, kannst du mir mal den rot____ Stift da geben?

   ● Klar, hier. Brauchst du auch den blau____ Stift?

2. ○ Ist das das aktuell____ Kinoprogramm?

   ● Ja, hast du schon den neu____ Film von Fatih Akin gesehen?

3. ○ Und, bist du mit dem neu____ Fahrrad gekommen?

   ● Nein, das ist schon kaputt. Ich bin mit dem alt____ Fahrrad hier.

4. ○ Oh Mann. Ich verstehe die lang____ Sätze vom Professor nicht. Und die schwer____ Beispiele

   helfen mir auch nicht.

   ● Ja, das war bei mir früher auch so. Aber jetzt habe ich das Buch hier. Toll an dem Buch sind die

   einfach____ Erklärungen und die schön____ Beispiele.

e   **Tines Traum-Stadt. Ergänzen Sie die Sätze.**

1. Am liebsten geht sie im Sommer in

   den schönen Park

   _____. (der Park, schön)

2. In ihrem Lieblingscafé trinkt sie immer

   _____. (der Tee, gleich)

3. Am Morgen frühstückt sie immer am

   _____. (das Meer, blau)

4. Wenn sie mittags Hunger hat, geht sie zum _____. (der Markt, bekannt)

5. Dort isst sie besonders gerne _____. (die Nudeln, lecker)

6. Am Nachmittag will sie noch eine Stadtrundfahrt mit _____

   machen. (der Bus, alt)

7. Am Abend isst sie oft in _____. (die Pizzeria, neu)

 f   **Und Ihre (Traum-)Stadt? Was machen Sie? Scheiben Sie fünf Sätze wie in 4e.**

Das muss ich erledigen

5 a **Warum geht man zur Bank? Ergänzen Sie die Aktivitäten.**

ein Konto eröffnen | einen Kredit beantragen | einen Vertrag unterschreiben | Geld abheben | Geld überweisen

1. Sie brauchen ein Konto für Ihren Lohn. _____

2. Sie schicken Geld an ein anderes Konto, zum Beispiel für eine Rechnung. _____

3. Sie brauchen Bargeld von Ihrem Konto. _____

4. Sie brauchen mehr Geld. Sie haben nicht genug eigenes Geld für Ihre Pläne. _____

5. Für Ihren Kredit müssen Sie … _____

🔊 **b** **Auf dem Amt. Wählen Sie.**

1.41

→•←

A Hören Sie und ergänzen Sie. Die Wörter unten helfen.

○ Guten Tag. (1) _Bitte_____?

● Guten (2) _____, Schulz. Ich brauche einen neuen Personalausweis.

○ Haben Sie den alten (3) _____ oder Ihren Pass dabei?

● Ja, hier ist mein Pass.

○ Und dann (4) _____ wir noch ein Foto.

● Das (5) _____ hier ist ganz neu. Ich war letzte Woche beim Fotografen.

   Auf der Rückseite sehen Sie das (6) _____.

○ Gut. Jetzt muss ich noch Ihre Angaben (7) _____. Wie ist Ihre Adresse?

● Ich (8) _____ hier in Nürnberg in der Karolinenstraße 12.

○ Ah ja, hier. (9) _____ die alten Daten noch?

● Ja, es ist alles gleich geblieben. Wie viel (10) _____ der Personalausweis denn?

○ 28,80 Euro. Bitte (11) _____ Sie den Betrag gleich an der Kasse im Erdgeschoss.

   Gut, dann brauche ich hier noch Ihre (12) _____.

B Ergänzen Sie. Hören Sie dann zur Kontrolle.

bezahlen | Bitte | brauchen | Datum | Foto | prüfen | kostet | Ausweis | Stimmen | Tag | Unterschrift | wohne

c **Bei der Polizei. Was passt zusammen? Ordnen Sie zu.**

1. Herr Ziegler geht zur Polizei, _____   A weil der auch in der Geldbörse war.

2. Jemand hat an seiner Jacke gezogen _____   B alle wichtigen Angaben auf.

3. Herr Ziegler hat keinen Ausweis, _____   C und ihm seine Geldbörse gestohlen.

4. Er sagt der Polizistin, _____   D weil er einen Diebstahl melden will.

5. Die Polizistin schreibt _____   E dass es in der U-Bahn passiert ist.

d *mit* oder *ohne*? Ergänzen Sie die Präposition und das Artikelwort.

1. Der Führerschein ist weg. _Ohne seinen_ (sein) Führerschein darf Lars nicht Auto fahren.

2. Er kann auch _____ (seine) Geldbörse kein Ticket für die U-Bahn kaufen.

3. Lars braucht Hilfe. Er ruft _____ (sein) Handy einen Freund an.

4. Valentina muss Geld verdienen. _____ (ein) Job kann sie nicht studieren.

5. Sie hat ein Vorstellungsgespräch _____ (der) Chef von einem Restaurant.

6. Valentina macht _____ (ihr) Handy viele Fotos von Wien.

e Und Sie? *mit* oder *ohne*? Ergänzen Sie die Sätze.

1. Ich lerne nie _ohne Musik_ .

2. Ich gehe nie _____ am Abend aus.

3. Ich fahre nie _____ in Urlaub.

4. Ich _____ nie _____ .

5. Ich _____ immer _____ .

6 a Höfliche Bitten. Ergänzen Sie die passende Form von *könnte*.

1. _Könnten_ Sie meine Bankkarte sperren? 4. _____ ich bitte einen Kaffee haben?

2. _____ du für mich einkaufen? 5. _____ du mir die Tür aufmachen?

3. _____ ihr mir helfen, bitte? 6. _____ wir uns später treffen?

b Sagen Sie es höflicher. Schreiben Sie Bitten mit *könnte*.

1. Helfen Sie mir! _Könnten Sie mir bitte helfen?_

2. Wiederhol das! _____

3. Wartet auf mich! _____

4. Bring Brot mit! _____

5. Können Sie ins Büro kommen? _____

6. Hol mich bitte ab! _____

> **!**
>
> Bitten und Aufforderungen sind höflicher mit „bitte".
> *Sprechen Sie **bitte** leise!*
> *Gibst du mir **bitte** das Buch?*

c Was sagen die Personen? Schreiben Sie zu jedem Bild zwei höfliche Bitten mit *könnte*.

A Könntest du bitte in die Apotheke gehen?

d Arbeiten Sie zu zweit. Formulieren Sie höfliche Bitten. Ihr Partner / Ihre Partnerin antwortet. A beginnt, wechseln Sie ab.

Hier, bitte!   Ja, gern!   Da ist …   Tut mir leid, ich …   Schade, aber das geht nicht, weil …

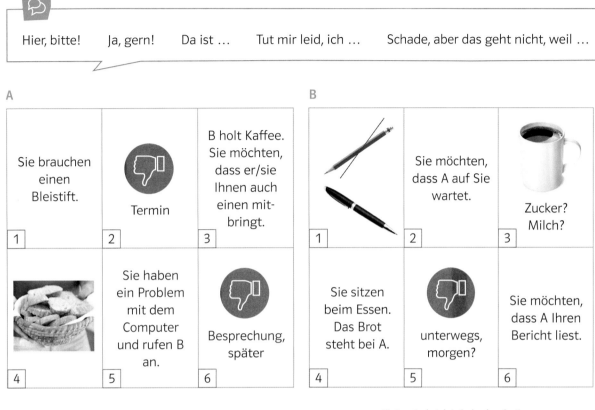

A

Sie brauchen einen Bleistift. 1	Termin 2	B holt Kaffee. Sie möchten, dass er/sie Ihnen auch einen mitbringt. 3
4	Sie haben ein Problem mit dem Computer und rufen B an. 5	Besprechung, später 6

B

1	Sie möchten, dass A auf Sie wartet. 2	Zucker? Milch? 3
Sie sitzen beim Essen. Das Brot steht bei A. 4	unterwegs, morgen? 5	Sie möchten, dass A Ihren Bericht liest. 6

Könnte ich bitte einen Bleistift haben?

Tut mir leid, ich habe keinen. Möchtest du einen Kuli?

7 a Lesen Sie die Sätze und notieren Sie: unhöflich ☹, höflich ☺ oder sehr höflich ☺☺. Vergleichen Sie zu zweit.

1. ☹ Gib mir den Schlüssel.
2. ___ Könntest du mir den Schlüssel geben?
3. ___ Den Schlüssel, bitte.
4. ___ Kann ich den Schlüssel haben?

5. ___ Bitte gib mir den Schlüssel.
6. ___ Könntest du mir bitte den Schlüssel geben?
7. ___ Ich brauche den Schlüssel.
8. ___ Kannst du mir den Schlüssel geben?

b Hören Sie jeden Satz zweimal. Was ist freundlich gesprochen? Kreuzen Sie an.

1.42

1. Können Sie mich morgen anrufen?   a b
2. Bringen Sie mir bitte einen Tee.   a b
3. Könnten Sie bitte draußen telefonieren?   a b
4. Könnten Sie die Musik leiser machen?   a b

! Hören Sie genau hin: Die Betonung ist oft wichtiger als die Wörter.

c Hören Sie die freundlichen Sätze aus 7b und sprechen Sie nach.

1.43

Rund um den Ring

8 a **Was passt wo? Schreiben Sie die Wörter zu den Begriffen.**

das Bild | die Bühne | das Parlament | der Maler / die Malerin | das Rathaus | die Ausstellung |
der Politiker / die Politikerin | der Regisseur / die Regisseurin | das Gesetz |
der Schauspieler / die Schauspielerin | der Zuschauer / die Zuschauerin | das Museum

die Politik	das Theater	die Kunst
_____	_____	_____
_____	_____	_____
_____	_____	_____
_____	_____	_____

🔊
1.44

b **Hören Sie das Gespräch. Sind die Sätze richtig oder falsch? Kreuzen Sie an.**

	richtig	falsch
1. Eva und Hanan haben eine Reise nach Wien gemacht.	☐	☐
2. Es war anstrengend, weil sie viel zu Fuß gegangen sind.	☐	☐
3. Sie haben eine Ausstellung besucht.	☐	☐
4. Der Freund von Eva kennt Clara Luzia.	☐	☐
5. Eva findet die alten Gebäude in Wien schön.	☐	☐
6. Evas Freund findet, dass Wien langweilig ist.	☐	☐

9 **Lesen Sie den Blog. Wo finden Sie Informationen zu den Themen rechts? Notieren Sie die Zeilen.**

Mein Blog

Bern

Bern, Berne, Berna, Bärn – die Schweiz hat vier
Landessprachen, die Stadt hat vier Namen. Bern
ist das Zentrum für die Verwaltung in der Schweiz.
Das Parlament und die Regierung (der Bundesrat)
5 arbeiten in Bern.
Bern ist nicht besonders groß, 140.000 Menschen leben in
Bern. 75 % sind Schweizer Staatsbürger, das restliche Viertel
hat eine andere Nationalität: die deutsche, die italienische,
die spanische oder die portugiesische und viele, viele andere.
10 Die Altstadt mag ich gern. Es gibt viele schöne Ecken und
Plätze, nicht nur den Zytglogge (Uhrturm), das Rathaus oder
das Münster. Mir gefällt aber die Kornhausbrücke am besten.
Musikfans wie ich lieben das Gurtenfestival, wohl das schönste
Festival in der Schweiz. Und natürlich liebe ich „Stiller Has".
15 Die Band singt ihre Lieder auf „Bärndütsch". Und noch mehr
liebe ich die „Young Boys Bern". 2018 und 2019 haben sie die
Fußballmeisterschaft gewonnen. Ich habe alle Spiele hier in
Bern gesehen, kein einziges habe ich verpasst.

Themen im Blog
Sprachen in der
Schweiz:
Zeile 1–2

Gebäude:
_____

Sport:
_____

Politik:
_____

Musik:
_____

Einwohner:
_____

🔊
1.45

R1 **Hören Sie das Vorstellungsgespräch. Kreuzen Sie an.**

1. Wer sucht einen Job?	☐ Herr Martens.	☐ Frau Demir.
2. Es geht um einen Job als	☐ Koch/Köchin.	☐ Kellner/Kellnerin.
3. Die Personen vereinbaren einen Termin am	☐ Montag um 16:30 Uhr.	☐ Montag um 17:30 Uhr.

	☺☺	☺	☹	☹	KB	ÜB
🔊 Ich kann einfache Vorstellungsgespräche verstehen.	☐	☐	☐	☐	3b	3a–b

R2 **Was macht man bei der Polizei, in der Bank oder bei der Behörde? Notieren Sie je drei Situationen. Berichten Sie.**

Geldbörse verloren

Man geht zur Polizei, wenn man die Geldbörse verloren hat.

	☺☺	☺	☹	☹	KB	ÜB
🗨 Ich kann sagen, was man in der Bank und bei Behörden macht.	☐	☐	☐	☐	5	5

R3 **Arbeiten Sie zu zweit. Was kann man in diesen Situationen sagen? Formulieren Sie höfliche Bitten.**

	☺☺	☺	☹	☹	KB	ÜB
🗨 Ich kann höflich um etwas bitten und reagieren.	☐	☐	☐	☐	6	6

Außerdem kann ich ...	☺☺	☺	☹	☹	KB	ÜB
🔊 ... verstehen, was Personen über ihre Arbeit sagen.	☐	☐	☐	☐	1c	
📖 ... Informationen über einen Job und einfache Stellenanzeigen verstehen.	☐	☐	☐	☐		2
🔊📖 ... ein Vorstellungsgespräch verstehen.	☐	☐	☐	☐	3	3
🗨✏ ... nach Dingen fragen und Dinge beschreiben.	☐	☐	☐	☐	4	4
📖🔊 ... einer einfachen Stadt-Tour folgen.	☐	☐	☐	☐	8a–b	
📖🔊 ... wichtige Informationen über eine Stadt verstehen.	☐	☐	☐	☐	9a	8b, 9
✏🗨 ... eine Stadt beschreiben.	☐	☐	☐	☐	9b–c	4f

in der Stadt

das Verkehrsmittel, - _____

öffentlich *(die öffentlichen Verkehrsmittel)* _____

der Fahrer, - _____

die Fahrerin, -nen _____

transportieren _____

die Polizei (Sg.) _____

beschützen _____

die Feuerwehr (Sg.) _____

die Sicherheit (Sg.) _____

sich kümmern *(sich um die Patienten kümmern)* _____

pflegen _____

die Operation, -en _____

die Straßenreinigung (Sg.) _____

auf|räumen _____

die Ordnung (Sg.) _____

der Müll (Sg.) _____

die Müllabfuhr (Sg.) _____

die Mülltonne, -n _____

leeren *(die Mülltonnen leeren)* _____

einen Job suchen

die Stellenanzeige, -n _____

sich bewerben, er bewirbt, hat beworben _____

das Vorstellungs-gespräch, -e _____

die Unterlagen (Pl.) _____

die Kenntnis, -se *(Italienisch-Kenntnisse haben)* _____

die Teilzeit (Sg.) _____

in Teilzeit arbeiten _____

die Bezahlung (Sg.) _____

der Lohn, ⸚e _____

spontan *(spontan arbeiten können)* _____

der Bescheid (Sg.) *(Ich gebe Ihnen Bescheid.)* _____

im Restaurant arbeiten

die Aushilfe, -n _____

bedienen *(die Gäste bedienen)* _____

servieren *(Essen und Getränke servieren)* _____

die Zutat, -en _____

bei der Behörde

das Amt, ⸚er _____

die Behörde, -n _____

der Beamte, -n _____

die Beamtin, -nen _____

erledigen *(ein paar Dinge erledigen)* _____

aus|füllen *(ein Formular ausfüllen)* _____

der Antrag, ⸚e _____

genehmigen *(einen Antrag genehmigen)* _____

die Einbürgerung, -en _____

das Dokument, -e _____

ab|geben, er gibt ab, hat abgegeben _____

Angaben prüfen _____

der Personalausweis, -e _____

beantragen _____

verlängern *(den Pass verlängern)* _____

das Visum, Visa *(ein Visum beantragen)* _____

gültig *(Der Pass ist nicht mehr gültig.)* _____

die Grenze, -n _____

in der Bank

der/die Angestellte, -n _____

ab|heben, er hebt ab, hat abgehoben _____

vom Konto Geld abheben _____

der Betrag, ⸚e _____

einen Betrag überweisen _____

aus|geben, er gibt aus,
hat ausgegeben (Geld
ausgeben) _____

ein Konto eröffnen _____

die Bankkarte, -n _____

sperren _____

der Kredit, -e _____

die Geldbörse, -n _____

leihen, er leiht, hat
geliehen _____

bei der Polizei

der Diebstahl, ⸚e _____

melden _____

weg sein (Das Handy war
weg.) _____

eine Stadt-Tour

der Stadtplan, ⸚e _____

der Tourist, -en _____

die Touristin, -nen _____

der Politiker, - _____

die Politikerin, -nen _____

das Parlament, -e _____

das Gesetz, -e _____

die Verwaltung (Sg.) _____

das Gebäude, - _____

der Dom, -e _____

die Disco, -s _____

andere wichtige Wörter und Wendungen

bitten, er bittet,
hat gebeten _____

der Gefallen, - _____

um einen Gefallen bitten _____

dringend (Es ist dringend.) _____

das Beste (Sg.) _____

der/die Nächste, -n _____

der Fan, -s _____

der Daumen, - _____

drücken (die Daumen
drücken) _____

bunt _____

modern _____

funktionieren _____

der Gedanke, -n _____

die Ruhe (Sg.) _____

die Entspannung (Sg.) _____

neben (ein Job neben
dem Studium) _____

über (über die Grenze
fahren) _____

vor|stellen (Stell dir das
vor!) _____

das Wunder, - (Kein
Wunder!) _____

Wichtig für mich:

_____

_____

Was machen Sie in dieser Situation? Ergänzen Sie passende Ausdrücke.

1. Ihr Pass ist nur noch einen Monat lang gültig: _____

2. Sie möchten einen Personalweis bekommen: _____

3. Jemand hat Ihre Geldbörse gestohlen: _____

4. Vor Ihnen liegt ein Formular: _____

5. Sie brauchen für Ihren Job ein Konto: _____

6. Sie haben Ihre Geldbörse vergessen und brauchen ein bisschen Geld: _____

7. Sie haben ein Problem und brauchen Hilfe: _____

Arbeitswelten

1 a **Die Woche von Ella und Samuel. Was gehört zu ihrer Arbeit? Was machen sie in der Freizeit? Ordnen Sie die Ausdrücke zu. Es gibt mehrere Möglichkeiten.**

das Abendessen | ~~die Tests von Schülern~~ | eine Baustelle | Rad | in einer Besprechung | mit Freunden in eine Kneipe | mit Schülern einen Ausflug | am Wochenende

gehen | kochen | kontrollieren | ~~korrigieren~~ | später aufstehen | machen | fahren | sein

Arbeit

die Tests von Schülern korrigieren,

_____

_____

_____

Freizeit

_____

_____

_____

b **Was sagen die Personen über ihre Arbeit? Ordnen Sie zu.**

1. Montagmorgen bis Freitagmittag: Das ist meine Arbeitswoche. _C_

2. Ich muss oft am Wochenende arbeiten. Aber das ist mir egal. _____

3. Ein paar Freunde sprechen auch in der Freizeit immer von der Arbeit. _____

4. Ich arbeite sehr gern in meinem Beruf, die Arbeit macht mir Spaß. _____

5. Mein Beruf gefällt mir, aber ich habe immer Probleme mit dem Chef. _____

A Ich kann das auch nach der Arbeit nicht vergessen. Ich muss eine neue Stelle suchen.

B Das mag ich nicht. Nach der Arbeit sind nur Familie und Freunde wichtig.

C Das Wochenende brauche ich für mich und meine Freunde.

D Aber man verdient leider sehr wenig. Schade.

E Ich habe dann in der nächsten Woche ein paar Tage frei, wenn alle anderen arbeiten.

🔊 **2** **Zwei Personen berichten von ihrer Arbeit. Was finden sie gut, was nicht? Kreuzen Sie an.**

1.46–47

A Claudia Span	+	–
1. Frau Span arbeitet in einer kleinen Stadt.	☐	☐
2. Sie arbeitet oft in der Nacht.	☐	☐
3. Sie arbeitet auch oft am Wochenende.	☐	☐
4. Die Menschen brauchen die Polizei, wenn es Probleme gibt.	☐	☐

B Matthias Koch	+	–
5. Herr Koch arbeitet in der Nacht.	☐	☐
6. Einige Kunden reden gern und erzählen viel.	☐	☐
7. Herr Koch muss oft warten.	☐	☐
8. In seiner Freizeit fährt er mit dem Fahrrad.	☐	☐

Auf Geschäftsreise

3 a **In der Bahnhofshalle. Wo sehen Sie das im Bild? Notieren Sie die Nummer.**

1. die Fahrkarte | 2. das Gepäck | 3. der Koffer | 4. der Zug / die Bahn |
5. das Schild | 6. der Fahrgast | 7. der Schaffner / die Schaffnerin

b **Schreiben Sie Sätze. Beginnen Sie mit den markierten Wörtern.**

1. fahren / mit der Bahn / <u>viele Leute</u>
   Viele Leute fahren mit der Bahn.

2. <u>ein Mann</u> / eine Fahrkarte / am Schalter / kaufen

3. <u>hinter dem Mann am Schalter</u> / warten / eine Frau

4. <u>auf den Stühlen</u> / ein paar Personen / sitzen / warten / und

5. <u>ein Mann</u> / einen Rucksack / tragen

6. eine Frau / sehen / <u>links</u> / auf den Fahrplan

7. etwas / auf dem Stadtplan / zwei Personen / <u>rechts</u> / suchen

1.48

c **Sie hören vier Durchsagen. Was ist richtig: a, b oder c? Kreuzen Sie an.**

1. Wo fährt der Zug nach Nürnberg ab?
   - a Auf Gleis 14.
   - b Auf Gleis 17.
   - c Auf Gleis 24.

2. Wo muss man zum Zoo umsteigen?
   - a An der Haltestelle Flughafen.
   - b An der Haltestelle Neudorf.
   - c An der Haltestelle Neuberg West.

3. Was gibt es in diesem Zug nicht?
   - a Kalte und warme Getränke.
   - b Süßigkeiten.
   - c Warmes Essen.

4. Welchen Zug sollen die Fahrgäste nach Köln nehmen?
   - a Den ICE 1343.
   - b Den ICE 1427.
   - c Den Regionalzug 134.

4 a **Was passt zusammen? Ordnen Sie zu.**

1. ○ Wann fährt der nächste Zug nach Bremen? _____

2. ○ Wann komme ich in Bremen an? _____

3. ● Einfach oder hin und zurück? _____

4. ○ Muss ich umsteigen? _____

5. ○ Ich möchte einen Sitzplatz reservieren. _____

A ● Wo möchten Sie sitzen: Gang oder Fenster?

B ○ Hin und zurück, bitte.

C ● Um 15:22 Uhr von Gleis 3.

D ● Um 20:50 Uhr sind Sie dort.

E ● Ja, bei der Hinfahrt in Hamburg und bei der Rückfahrt in Hannover.

b **Sehen Sie die Reservierung an und beantworten Sie die Fragen.**

Ihre Reiseverbindung und Reservierung Hinfahrt am 21.06.

Halt	Datum	Zeit	Gleis	Fahrt	Reservierung
Berlin Hbf (tief)	21.06.	ab 12:38	7	ICE 802	1 Sitzplatz, Wg. 7,
Hamburg Hbf	21.06.	an 14:21	8		Pl. 61, Fenster
Hamburg Hbf	21.06.	ab 14:50	14	IC 2407	
Bremen Hbf	21.06.	an 15:46	9		

Ihre Reiseverbindung und Reservierung Rückfahrt am 24.06.

Halt	Datum	Zeit	Gleis	Fahrt	Reservierung
Bremen Hbf	24.06.	ab 16:09	1	IC 2433	
Hannover Hbf	24.06.	an 17:13	10		
Hannover Hbf	24.06.	ab 17:31	9	ICE 651	1 Sitzplatz, Wg. 6,
Berlin Hbf (tief)	24.06.	an 19:05	5		Pl. 71, Gang

> **!**
> **Abkürzungen**
> Hbf — Hauptbahnhof
> Wg. — Wagen
> Pl. — Platz

	Hinfahrt	Rückfahrt
1. Wohin fährt die Person?		
2. Wann fährt der Zug ab?		
3. Wann kommt die Person an?		
4. Welchen Sitzplatz hat die Person?		
5. Muss die Person umsteigen? Wenn ja, wo?		

c **Arbeiten Sie zu zweit. Wählen Sie eine Rolle und spielen Sie Gespräche. Die Redemittel im Kursbuch, Aufgabe 4b helfen Ihnen.**

1A   Sie sind Fahrgast und wollen am Samstagnachmittag nach Dresden fahren. Sie fragen nach dem Preis und der Verbindung (direkt, mit Umsteigen?). Sie möchten gern am Fenster sitzen.

2A Sie sind Bahnmitarbeiter/in. Züge nach Frankfurt fahren um 18:20, 18:50 und 19:20 Uhr. Man muss nicht umsteigen. Fragen Sie nach Wünschen für die Reservierung. Eine einfache Fahrkarte kostet 45,- €.

1B Sie sind Bahnmitarbeiter/in. Züge nach Dresden fahren um 15:10, 16:10 und 17:10 Uhr. Man muss in Leipzig umsteigen. Fragen Sie nach Reservierungswünschen. Eine einfache Fahrkarte kostet 69,- €.

2B   Sie sind Fahrgast und möchten am Mittwoch nach 18 Uhr nach Frankfurt fahren. Sie fragen nach dem Preis. Müssen Sie umsteigen? Sie möchten gern am Gang sitzen.

Das Abend-Programm

5 a **Ein paar Tage Urlaub in Berlin. Achten Sie auf die markierten Wörter. Welcher Kasus ist das: N (Nominativ), A (Akkusativ) oder D (Dativ)? Kreuzen Sie an.**

	N	A	D
○ Ihr habt doch (1) <u>einen kurzen Urlaub</u> in Berlin gemacht? Erzähl mal.	☐	☐	☐
● Also, wir waren vier Tage dort, (2) <u>in einem gemütlichen Hotel</u>.	☐	☐	☐
Es ist sehr ruhig und liegt (3) <u>neben einer alten Brücke</u>. Unter der	☐	☐	☐
Brücke ist (4) <u>eine beliebte Bar</u>, dort waren wir jeden Abend.	☐	☐	☐
○ Und was habt ihr sonst noch gemacht?			
● Am Freitag sind wir (5) <u>zu einem großen Markt</u> gegangen.	☐	☐	☐
Ich habe (6) <u>wunderbare Sachen</u> gesehen. Aber leider zu teuer!	☐	☐	☐
○ Ich war in Hamburg (7) <u>auf einem tollen Markt</u> und habe eine Lampe gekauft.	☐	☐	☐
● Wir haben auch (8) <u>eine coole Stadtrundfahrt</u> gemacht,	☐	☐	☐
(9) <u>mit einem kleinen Auto</u>, einem Trabi. Das war super!	☐	☐	☐
○ Habt ihr auch (10) <u>ein interessantes Museum</u> besucht?	☐	☐	☐
● Nein, aber das ist (11) <u>ein guter Grund</u> für die nächste Reise nach Berlin.	☐	☐	☐

b **In Leipzig. Was ist richtig? Kreuzen Sie an.**

Meine Freunde und ich hatten (1) ☐ schöne ☐ schönen Tage in Leipzig. Wir waren in einem (2) ☐ nettes ☐ netten Hotel. Es ist ziemlich alt und hat (3) ☐ große ☐ großen Zimmer. Wir waren auch in einem (4) ☐ altes ☐ alten Kino, es heißt Schauburg. Wir haben einen (5) ☐ lustiger ☐ lustigen Film in Schwarz-Weiß gesehen. Am Sonntag haben wir ein (6) ☐ tollen ☐ tolles Konzert in der Thomaskirche gehört. Das ist eine sehr (7) ☐ berühmte ☐ berühmten Kirche im Zentrum. Danach haben wir in einem (8) ☐ typisches ☐ typischen Restaurant „Leipziger Allerlei" gegessen. Das ist ein (9) ☐ leckeres ☐ leckeren Gericht nur aus Gemüse.

c   **Nichts funktioniert! Ergänzen Sie den Negationsartikel und die Adjektivendung.**

Der Bus ist weg und der Zug fährt um 8:54 Uhr. Mist, ich finde

(1) _kein_ frei**es** Taxi. Weil ich (2) _____ groß____

Koffer habe, laufe ich schnell zum Bahnhof und steige in den Zug ein. Im

Wagen sind (3) _____ frei____ Plätze mehr. Endlich finde ich

einen Sitzplatz und will mein Ticket kaufen, aber ich habe

(4) _____ schnell____ Internet. Der Schaffner kommt: „Sie haben noch (5) _____

gültig____ Ticket gekauft? Das kostet 40 Euro extra!" Ich ärgere mich und bezahle. Ich gehe zum Bord-

restaurant, da höre ich eine Durchsage. Heute gibt es leider (6) _____ lecker____ Frühstück.

d   **Was ist im Kursraum los? Ergänzen Sie die Endungen.**

1. Wer hat meine schwarz____ Jacke gesehen?

2. Frida sucht ihr klein____ Wörterbuch.

3. Ist das dein rot____ Stift, Tobias?

4. Ist das euer toll____ Plakat, Ilona?

5. Kannst du meinen kurz____ Text lesen, bitte?

> **!**
>
> Nach *kein* und *mein, dein* … haben Adjektive im Singular dieselben Endungen wie nach dem unbestimmten Artikel:
> **ein/kein/mein** kurz**er** Urlaub

e   **Lesen Sie die Mail von Isa und ergänzen Sie die Adjektive. Achten Sie auf den bestimmten oder unbestimmten Artikel.**

Hallo Simon,

ich hoffe, ihr hattet eine (1) _____ Fahrt und einen (2) _____

Abend. Seid ihr wieder in dem (3) _____ Hotel? Ich hatte heute einen sehr

(4) _____ Tag. Die (5) _____ Kollegin ist sehr nett und

die (6) _____ Präsentation ist fertig. Am Nachmittag habe ich eine

(7) _____ Fahrradtour gemacht. Danach habe ich noch Mona getroffen und

wir haben einen (8) _____ Film im Kino gesehen. Dann waren wir noch in

dem (9) _____ Café am Markt. Wenn du morgen eine (10) _____

Pause hast, dann ruf mich mal an!

Isa

gut, schön

klein

ruhig, neu

wichtig

lang

lustig

nett, klein

f   **Was machen die Personen? Schreiben Sie sieben Sätze.**

Ein Eine Mein Meine	alt jung klug lustig reich groß klein	Frau Mann Mädchen Kind Kellnerin Lehrer Sängerin	fährt in kommt aus macht Urlaub in besucht geht in zieht in lebt in	ein eine kein keine	teuer interessant modern klein spannend schön langweilig	Land Stadt Museum Hotel Wohnung Ort Strand

Ein lustiges Kind lebt in einem kleinen Ort.

6 Wählen Sie einen Anfang. Was macht die Person? Schreiben Sie eine kurze Geschichte.

einen … Freund / eine … Freundin besuchen | eine … Person treffen/kennenlernen | in einen/
ein/eine … gehen | einen/ein/eine … kaufen | keinen/kein/keine … finden | einen/ein/eine …
suchen | …

> Ein junger Mann fährt in eine kleine Stadt. Er …

> Eine reiche Frau macht Urlaub in einem teuren Hotel. Sie …

> Ein kleines Kind lebt in einem langweiligen Ort. Es …

Der Traumberuf?

7 a Wählen Sie.

A Lesen Sie die Texte im Kursbuch, Aufgabe 7a noch einmal. Ordnen Sie zu.

1. Nach 20 Jahren Arbeit in einer Firma _____

2. Frau Haunstein musste eine neue Arbeit

   finden und _____

3. Sie will etwas für die Umwelt machen _____

4. Frau Haunstein ist sehr zufrieden mit ihrer

   Arbeit _____

5. Markus Studer hat früher _____

6. Er war 25 Jahre als Arzt erfolgreich, _____

7. Er verdient weniger als im alten Beruf, _____

B Ordnen Sie zu.

A und möchte das bis zur Rente machen.

B als Herzchirurg gearbeitet.

C aber er ist glücklich im neuen Beruf.

D und verkauft Lebensmittel ohne Plastik,

   ohne Verpackung.

E aber dann wurde er Fernfahrer.

F wurde Marlies Haunstein arbeitslos.

G hat einen Laden eröffnet.

b Hören Sie die Interviews. Worüber sprechen die Personen? Kreuzen Sie an.

1.49–52

	Vera Lingen	Alex Graf	Mila Prokopic	Stefan Richter
Arbeitszeit	☐	☐	☐	☐
Ausbildung	☐	☐	☐	☐
Berufswechsel	☐	☐	☐	☐
was ihm/ihr gefällt	☐	☐	☐	☐

c Arbeiten Sie zu zweit. Jede/r hört noch einmal zwei Interviews und macht Notizen. Tauschen Sie dann die wichtigsten Informationen aus.

Frau Lingen: ist Laborantin, arbeitet 25 Stunden pro Woche …

8 a   Ergänzen Sie die Formen von *sein* oder *werden*.

1. Das Wetter _____ schön. 2. Das Wetter _____ schlecht. 3. Das Wetter _____ schlecht.

4. Im Jahr 2008: Linda und Ali _____ Schüler.

5. 2010–2015: Sie _____ an der Uni und wollten Architekten _____.

6. Seit 2016 _____ sie Architekten und arbeiten zusammen.

b   Ergänzen Sie *werden* im Präsens.

1. ○ Wie geht es dir? ● Nicht so gut. Ich glaube, ich __werde__ krank.

2. ○ Was macht Lisa jetzt? ● Sie studiert und _____ Ingenieurin.

3. ○ Wann _____ das Wetter wieder besser? ● Meine App sagt, dass es morgen am Nachmittag wieder schön _____.

4. ○ Was möchte Kevin nach der Schule machen? ● Er macht eine Ausbildung und _____ Therapeut.

c   Präsens, Präteritum oder Perfekt? Ergänzen Sie *werden*.

1. A Du hast doch morgen Geburtstag. Wie alt _____ du?
   B Du hattest ja letzte Woche Geburtstag. Wie alt _____ du _____?

2. A Maria und Verena studieren Sport. Sie _____ später Sportlehrerinnen.
   B Vladimir und Vitali haben studiert. Nach dem Studium _____ sie Boxer.

3. A Wir waren im Sommer in Norwegen. In der Nacht _____ es nicht dunkel.
   B Im Winter _____ es auch am Tag nicht richtig hell. Das gefällt mir nicht.

d   Schreiben Sie je zwei Sätze im Präsens, im Präteritum und im Perfekt.

ich du er/es/sie wir ihr sie Sie	werden	23 Jahre alt krank berühmt reich Arzt/Ärztin Vater/Tante/… gesund Elektriker/Elektrikerin

Sie wird bekannt.

Er ist 23 Jahre alt geworden.

9 a   Musikerin – ein Traumberuf? Lesen Sie und ordnen Sie den Text.

_____ Der direkte Kontakt zu ihren Kunden ist ihr wichtig. Alle zwei, drei Wochen fährt Claudia Ferrer auch selbst mit ihrem Auto nach Lausanne und bringt Obst, Gemüse, Oliven und andere Produkte direkt zu ihren Kunden.

__1__ Ihr Freund musste Geige lernen und plötzlich wollte Claudia Ferrer auch Geige spielen. Sie war damals sechs Jahre alt und für die nächsten 25 Jahre war die Geige in ihrem Leben sehr, sehr wichtig.

_____ Später ist sie nach Südfrankreich gegangen und hat dort eine Firma gegründet, _Frégumes_. Die Firma kauft Obst und Gemüse und bringt es in die Schweiz, vor allem in Restaurants.

_____ Nach dem Studium hat Claudia noch mehr geübt als vorher und wurde dann in Köln Orchestermusikerin. Sie hatte viele Konzerte und, wie sie sagt, zu viele Termine.

_____ Und ihre Geige? Claudia macht seit ein paar Jahren wieder Musik, nur als Hobby in einem kleinen Orchester. „Nur zum Spaß", sagt sie.

_____ An ihrem 31. Geburtstag hat sie entschieden, dass sie etwas anderes machen will. Sie wollte richtig gut kochen lernen und hat in einem feinen Restaurant eine Ausbildung begonnen. So wurde sie Köchin.

_____ Nach dem Abitur hat Claudia an der Musikhochschule Geige studiert und wollte Musikerin werden.

b   _sein_, _haben_, _werden_ oder ein Modalverb? Wählen Sie.

A Ergänzen Sie die Verben unten im Präteritum.   B Ergänzen Sie die Verben im Präteritum.

Mit sechs Jahren (1) __wollte__ Claudia Ferrer Geige lernen, weil ihr Freund auch Geige gespielt

hat. Claudia (2) _____ viel üben, aber sie hat das gern gemacht. Nach ihrem Abitur

(3) _____ sie Unterricht an der Musikhochschule und (4) _____ eine gute Studentin.

Nach ihrem Studium (5) _____ sie Orchestermusikerin, aber nach ihrem 31. Geburtstag

(6) _____ alles ganz anders. Sie (7) _____ nicht mehr Musikerin sein. Nach ihrer

Ausbildung in einem Restaurant (8) _____ sie Köchin. Jetzt hat sie eine Firma.

haben | müssen | sein | sein | werden | werden | wollen | wollen

◀Ɋ10 a   Aussprache: _m_ oder _n_? Was hören Sie am Wortende? Ergänzen Sie.

1.53

1. Frau Hanse_n_ muss ihre___ Kunde___ bei eine___ Termi___ alles erkläre___.

2. Herr Dahle___ fährt mit seine___ neue___ Auto i___ diese___ Jahr nach Husu___.

3. Frau Kle___ liebt de___ warme___ Sommer, i___ de___ kalte___ Wintermonate___ lebt sie i___ Süde___.

4. Seli___ fährt mit seine___ Freund Achi___ zu seine___ Onkel Hassa___ nach Aache___.

◀Ɋ   b   Hören Sie noch einmal und sprechen Sie nach.

1.54

**c   Schreiben Sie Sätze mit Wörtern mit _m_ oder _n_ am Wortende (mindestens 10 Wörter).
    Ihr Partner / Ihre Partnerin liest die Sätze vor.**

Telefonieren am Arbeitsplatz

11   **Auf Deutsch telefonieren. Schreiben Sie je drei Tipps mit diesen Ausdrücken.**

das Ziel überlegen: Was wollen Sie? | wichtige Ausdrücke sammeln und aufschreiben | Ihre Fragen
oder Ihr Problem notieren | nachfragen, wenn etwas unklar ist | die Namen von Personen notieren |
Papier und Stift bereitlegen | freundlich bleiben | lächeln | klar und deutlich sprechen

Vor dem Telefonieren   *Überlegen Sie das Ziel: Was wollen Sie? ...*
Beim Telefonieren   ...

12 a   **Ordnen Sie die Gespräche.**

Gespräch 1

1. Firma Köhne, Sie sprechen mit David Achner.
   Was kann ich für Sie tun? _C_

2. Frau Wenger ist gerade nicht am Platz.
   Kann ich etwas ausrichten? _____

3. Ab zwei ist sie bestimmt wieder in ihrem
   Büro. _____

4. Aber gern. Also, 0224 / 83 14 12. Und die
   Durchwahl ist 42 24. _____

5. Gern, Frau Kuhn. Auf Wiederhören. _____

A Nein, danke. Ich rufe später noch mal an.
   Ist Frau Wenger am Nachmittag da?

B Können Sie mir bitte die Durchwahl von
   Frau Wenger geben?

C Guten Tag! Mein Name ist Mia Kuhn. Kann ich
   bitte Frau Wenger sprechen?

D Auf Wiederhören.

E Durchwahl 42 24. Vielen Dank.

Gespräch 2

1. Guten Tag, Buchhandlung Parnass, Rima. _____

2. Tut mir leid, Herr Felder ist außer Haus.
   Möchten Sie eine Nachricht hinterlassen? _____

3. Okay, er soll Sie morgen zurückrufen. _____

4. Das richte ich gern aus, Herr Nowak. _____

A Ja, aber am Vormittag. Er kann mich bis zwölf
   unter dieser Nummer erreichen.

B Ja, bitte. Herr Felder soll mich morgen
   Vormittag zurückrufen.

C Hier spricht Mark Nowak. Können Sie mich
   bitte mit Herrn Felder verbinden?

D Vielen Dank. Auf Wiederhören.

🔊
1.55   **b**   **Hören Sie. Sprechen Sie den Anrufer / die Anruferin.**

Die moderne Arbeitswelt

13   **Was ist für Sie positiv, was negativ? Kreuzen Sie an. Sprechen Sie dann zu zweit über Ihre Bewertung.**

	+	−			+	−
1. immer neue Kompetenzen nötig	☐	☐	6. mit Laptop und Handy mobil arbeiten		☐	☐
2. lebenslanges Lernen wichtig	☐	☐	7. Teamarbeit und Projekte wichtig		☐	☐
3. keine festen Jobs	☐	☐	8. Telefon- und Videokonferenzen		☐	☐
4. immer erreichbar sein	☐	☐	9. immer mehr Roboter		☐	☐
5. keine festen Arbeitszeiten	☐	☐	10. mehr Zeit für Familie und Kreatives		☐	☐

R1 **Arbeiten Sie zu zweit. Sprechen Sie über die Freizeitmöglichkeiten in Bern und wählen Sie ein Angebot für den Abend.**

Tanzfestival *Steps* im Stadttheater Bern	Live-Konzert mit der Schweizer Rapperin Big Zis	Stadtführung bei Nacht
Moderner Tanz mit Live-Musik und Diskussion mit dem Publikum	*Rockig, exzentrisch und frech!*	**Gehen Sie mit uns durch das nächtliche Bern.**
25.04. um 20 Uhr	*Mittwoch 25.04. in der Eventhalle*	Viele interessante und spannende Geschichten warten auf Sie.
Eintritt ab 32,- CHF	*Baden, Eintritt 45,- CHF*	Beginn 24 Uhr vor dem Rathaus
		Kosten: 25,- CHF pro Person

☺☺ ☺ ☺ ☹ KB ÜB
☐ ☐ ☐ ☐ 5a–b, 6

Ich kann Informationen über Freizeitangebote verstehen und darüber sprechen.

R2 **Was hat Jana beruflich gemacht? Schreiben Sie einen kurzen Text.**

1. nicht so lange / in die Schule gehen / wollen
2. nach der Schule / Verkäuferin werden
3. mit 22 Jahren / Abendkurse besuchen
4. drei Jahre später / Abitur machen
5. nach dem Abitur / Informatik studieren
6. dann / Programmiererin werden

☺☺ ☺ ☺ ☹ KB ÜB
☐ ☐ ☐ ☐ 9 9b

Ich kann kurze Texte über Personen und ihren (Traum-)Beruf schreiben.

R3 **Hören Sie das Telefongespräch. Notieren Sie die Informationen.**

1.56

Mit wem möchte Herr Jeschke sprechen? _____

Wann ist diese Person erreichbar? _____

Wie ist die Durchwahl? _____

☺☺ ☺ ☺ ☹ KB ÜB
☐ ☐ ☐ ☐ 11, 12 11, 12

Ich kann Telefongespräche vorbereiten und telefonieren.

Außerdem kann ich ...

	☺☺	☺	☺	☹	KB	ÜB
... Gespräche über Arbeit und Freizeit verstehen und führen.	☐	☐	☐	☐	1, 2	1, 2
... Gespräche beim Fahrkartenkauf verstehen.	☐	☐	☐	☐	3	
... Situationen am Bahnhof beschreiben.	☐	☐	☐	☐		3a–b
... ein Gespräch am Fahrkartenschalter führen.	☐	☐	☐	☐	4	4a, c
... Durchsagen am Bahnhof und in Zügen verstehen.	☐	☐	☐	☐		4b
... eine kurze Geschichte über eine Person schreiben.	☐	☐	☐	☐		6
... Informationen über Menschen und Berufe verstehen und die Personen vorstellen.	☐	☐	☐	☐	7	7, 9a
... Veränderungen beschreiben.	☐	☐	☐	☐	8	8
... Informationen aus einem Text zum Thema „Arbeit" verstehen und weitergeben.	☐	☐	☐	☐	13	13

Arbeitswelten

die Tätigkeit, -en _____

einen Termin einhalten _____

beraten, er berät, hat beraten _____

sich beeilen _____

klappen (*Hier klappt gar nichts!*) _____

der Ärger (Sg.) _____

am Bahnhof und am Schalter

die Bahn, -en _____

der Fahrplan, ⸚e _____

die Zugverbindung, -en _____

die Durchsage, -n _____

der Wagen, - _____

die Geschäftsreise, -n _____

der Schalter, - _____

die Hinfahrt (Sg.) _____

die Rückfahrt (Sg.) _____

zurück|kommen, er kommt zurück, ist zurückgekommen _____

hin und zurück _____

einfach (*Nur einfach, bitte!*) _____

die Klasse, -n _____

eine Fahrtkarte für die Zweite Klasse _____

nebeneinander (*zwei Plätze nebeneinander*) _____

der Gang, ⸚e _____

Wo möchten Sie sitzen: am Gang oder Fenster? _____

das Stadtprogramm

die Ermäßigung, -en _____

preiswert _____

die Band, -s _____

der Musiker, - _____

die Sängerin, -nen _____

das Album, Alben _____

fantastisch _____

erleben _____

der Trainer, - _____

professionell (*eine professionelle Trainerin*) _____

den Beruf wechseln

der Berufswunsch, ⸚e _____

beruflich _____

komplett (*beruflich komplett neu anfangen*) _____

der Neuanfang, ⸚e _____

selbstständig (*sich selbstständig machen*) _____

mehr (*Sie ist selbstständig und hat keinen Chef mehr.*) _____

die Chance, -n _____

nutzen (*eine Chance nutzen*) _____

die Umwelt (Sg.) _____

das Plastik (Sg.) _____

erfolgreich _____

das Gehalt, ⸚er _____

das Risiko, Risiken _____

finanziell (*das finanzielle Risiko*) _____

die Übersetzerin, -nen _____

der Chirurg, -en _____

das Herz, -en _____

die Oberärztin, -nen _____

der Leiter, - _____

der Lastwagen, - _____

der Lkw, -s _____

bereuen (*eine Entscheidung nicht bereuen*) _____

die Freiheit (Sg.) _____

telefonieren

das Telefonat, -e _____

der Anrufer, - _____

der Anrufbeantworter, - _____

sich konzentrieren _____

deutlich *(Sprechen Sie deutlich!)* _____

das Blatt, ¨-er *(ein Blatt Papier bereitlegen)* _____

hektisch *(nicht hektisch werden)* _____

lächeln _____

stören *(Störe ich?)* _____

außer Haus sein _____

hinterlassen, er hinterlässt, hat hinterlassen *(eine Nachricht hinterlassen)* _____

aus|richten *(Können Sie etwas ausrichten?)* _____

zurück|rufen, er ruft zurück, hat zurückgerufen _____

die moderne Arbeitswelt

der Arbeitstag, -e _____

sich verändern _____

der Betrieb, -e _____

die Fabrik, -en _____

die Maschine, -n _____

der Roboter, - _____

die Digitalisierung (Sg.) _____

virtuell _____

erreichbar *(immer erreichbar sein)* _____

zu|nehmen, er nimmt zu, hat zugenommen _____

der Austausch (Sg.) _____

die Zusammenarbeit (Sg.) _____

mit|helfen, er hilft mit, hat mitgeholfen _____

fest *(kein festes Büro haben)* _____

befristet *(einen befristeten Vertrag haben)* _____

mobil _____

das Wissen (Sg.) _____

die Kompetenz, -en _____

lebenslang _____

problemlos _____

die Hausarbeit, -en _____

andere wichtige Wörter und Wendungen

in Ordnung _____

also gut _____

auf keinen Fall _____

nun *(Was machen wir nun?)* _____

möglich *(Ist das möglich?)* _____

häufig _____

komisch _____

unnötig _____

unter *(Reservierungen unter …)* _____

einige _____

schwanger _____

das Bier, -e _____

der Schritt, -e _____

der Feiertag, -e _____

das Jahrhundert, -e _____

Wichtig für mich:

_____

_____

_____

Sie wollen mit dem Zug fahren. Was machen Sie? Notieren Sie mindestens sieben Ausdrücke in der zeitlichen Reihenfolge.

eine gute Zugverbindung suchen, _____

_____

aussteigen

Prüfungstraining

Hören: Teil 1 – Ankündigung, Durchsagen und Anweisungen verstehen

P
GZ

1 **Machen Sie den Prüfungsteil *Goethe-Zertifikat A2*, Hören, Teil 1.**

Teil 1 Sie hören fünf kurze Texte. Sie hören jeden Text zweimal.
Wählen Sie für die Aufgaben 1 bis 5 die richtige Lösung
a , b oder c .

🔊 1.57

1 Warum kann sich Paula nicht mit Britta treffen?
a Sie besucht ihre Mutter.
b Sie muss arbeiten.
c Sie ist krank.

🔊 1.58

2 Welche Veranstaltung findet am Samstag statt?
a Ein Konzert im Park.
b Ein Fußballspiel
c Ein Sportfest.

🔊 1.59

3 Was wollen die Freunde später machen?
a Einen Film sehen.
b In der Bibliothek lernen.
c Ins Fitness-Studio gehen.

🔊 1.60

4 Wie wird das Wetter am Wochenende?
a Im Norden windig.
b Im Norden und Süden sonnig.
c Im Süden nass.

🔊 1.61

5 Was soll Herr Müller tun?
a Den Chef anrufen.
b Den Vertrag mailen.
c In die Firma kommen.

Hören: Teil 4 – Ein Radiointerview verstehen

P
GZ

2 **Machen Sie den Prüfungsteil *Goethe-Zertifikat A2*, Hören, Teil 4.**

Teil 4 Sie hören ein Interview. Sie hören den Text zweimal.
Wählen Sie für die Aufgaben 1 bis 5 [Ja] oder [Nein].
Lesen Sie jetzt die Aufgaben.

Beispiel

🔊 1.62

0 Fanny ist eine österreichische Sängerin. | [X̶a̶] | [Nein]

1 In Deutschland ist Fanny seit mehreren Jahren bekannt. | [Ja] | [Nein]

2 Fannys Eltern haben viel gesungen. | [Ja] | [Nein]

3 Ihre Texte schreibt Fanny selbst. | [Ja] | [Nein]

4 Fanny findet kleine Konzerte am besten. | [Ja] | [Nein]

5 Im nächsten Monat gibt es ein neues Album. | [Ja] | [Nein]

Hören: Teil 2 – Informationen aus dem Radio verstehen

3 **Machen Sie den Prüfungsteil *telc Deutsch A2*, Hören, Teil 2.**

Teil 2 Sie hören fünf Informationen aus dem Radio. Zu jedem Text gibt es eine Aufgabe. Kreuzen Sie an: a , b oder c . Sie hören jeden Text **einmal**.

Beispiel

1.63

0 Wann beginnt das Konzert?
- a Um 13 Uhr.
- b Um 14 Uhr.
- ☒ Um 16 Uhr.

1.64

1 Was ist auf der A7?
- a Eine Baustelle.
- b Ein Unfall.
- c Stau.

1.65

2 Wie wird das Wetter morgen Vormittag?
- a Es regnet.
- b Die Sonne scheint.
- c Es gibt ein Gewitter.

1.66

3 Wo kann man noch Karten kaufen?
- a Am Eingang Nord.
- b Am Eingang Ost.
- c Am Eingang West.

1.67

4 Was kann man gewinnen?
- a Ein Buch.
- b Ein Kinoticket.
- c Eine Reise.

1.68

5 Wann gibt es Filmtipps?
- a Um 16:30 Uhr.
- b Um 16:45 Uhr.
- c Um 17:05 Uhr.

Sprechen: Teil 1 – Sich kennenlernen

4 **Machen Sie den Prüfungsteil *Goethe-Zertifikat A2*, Sprechen, Teil 1.**

Teil 1 Sie bekommen vier Karten und stellen mit diesen Karten vier Fragen. Ihr Partner / Ihre Partnerin antwortet. Dann stellt Ihr Partner / Ihre Partnerin vier Fragen und Sie antworten.

Person A

Lesen: Teil 1 – Medientexte verstehen

P
GZ

5 **Machen Sie den Prüfungsteil *Goethe-Zertifikat A2*, Lesen, Teil 1.**

Teil 1   Sie lesen in einer Zeitung diesen Text.
Wählen Sie für die Aufgaben 1 bis 5 die richtige Lösung a , b oder c .

„Hier ist immer etwas los – Das Café ist mein Leben."

Das Café von Clara Bertold ist von sieben bis achtzehn Uhr geöffnet. In dem Café ist es voll und das fast jeden Tag. „Ich arbeite den ganzen Tag in der Küche. Aber ich freue mich immer, wenn so viele Leute kommen." Sie will das Café nicht am Abend öffnen, denn sie möchte auch andere Dinge machen, wie z. B. ins Kino gehen oder Sport machen. „Und ich möchte meine Freunde sehen. Meine Familie lebt ja leider weit weg."

Vor fünf Jahren hat sie die Schule beendet. Ihre Eltern wollten, dass sie in einer Bank arbeitet oder studiert. Aber sie hat ihre Bewerbung an ein Restaurant geschickt und dort eine Ausbildung als Köchin gemacht. Gleich danach hat sie das Café aufgemacht. Heute kommen die Leute aus der ganzen Stadt, weil sie die leckeren Kuchen essen und in Ruhe ein Buch lesen oder Freunde treffen wollen. Ruhig ist es, denn Handys sind verboten. Clara Bertold liefert auch Essen und Kuchen für Geburtstage und Feste.

Und was plant Clara? „Ich habe auf meinen Reisen viele interessante Rezepte kennengelernt. Auch von meiner Oma habe ich viel gelernt. Diese Rezepte möchte ich alle in einem Buch sammeln und es dann im Café verkaufen."

Beispiel

0 In dem Cafe …
☒ kocht Clara selbst.
b kann man auch abends essen.
c sind meistens wenig Leute.

1 Am Abend möchte Clara …
a arbeiten.
b ihre Familie treffen.
c Zeit für Hobbys haben.

2 Nach der Schule …
a hat sie eine Stelle in einer Bank gefunden.
b hat sie in einem Restaurant gearbeitet.
c war sie Studentin.

3 Das Café ist bekannt, weil …
a Clara berühmt ist.
b die Kuchen gut sind.
c man auch Bücher kaufen kann.

4 Man kann in dem Café …
a auch Feste feiern.
b telefonieren.
c Essen für Feiern bestellen.

5 Clara will bald …
a ein Buch schreiben.
b eine Reise machen.
c mit ihrer Oma kochen.

Schreiben: Teil 1 – Ein Formular ausfüllen

6 **Machen Sie den Prüfungsteil *telc Deutsch A2*, Schreiben, Teil 1.**

Teil 1 Ihre Freundin Sofia Sertorio möchte ab Oktober in Leipzig studieren. Sie sucht noch ein Zimmer und muss für die Anmeldung in einem Studentenwohnheim ein Formular ausfüllen.

Schreiben Sie die fünf fehlenden Informationen in das Formular.

Sofia Sertorio

Via Dante 32
16121 Genua
sofsof@email.it

Tel: 0039-10-545352

Studentenausweis Nr. 3317450

Sofia Sertorio
geb. 11.03.2001

Universität Leipzig

Sofia studiert seit zwei Jahren Physik in Bologna und ist im Sommer zu Hause in Genua.
Ab Oktober studiert sie in Leipzig und möchte allein in einem Zimmer im Wohnheim wohnen.
Die Lage ist ihr egal. Sie kann dafür 300,- € ausgeben.

Studentenwohnheim Johann Sebastian Bach Leipzig

Bitte ergänzen Sie Ihre persönlichen Angaben im Formular. Wir bearbeiten Ihre Anmeldung so schnell wie möglich.

Vorname: *Sofia* (0)

Nachname: *Sertorio*

Geburtsdatum: _____ (1)

Geschlecht: [X] weiblich [ ] männlich [ ] keine Angabe

Familienstand: [X] ledig [ ] verheiratet

Straße: *Via Dante 32*

PLZ, Ort: _____ *Genua* (2)

Telefonnummer: *0039-10-545352*

Studienbeginn: *Wintersemester 2022*

Studienfach: _____ (3)

[ ] Einzelzimmer [ ] Doppelzimmer (4)

Miethöhe: *maximal 300,- €*

Mietbeginn: _____ (5)

Lage: [ ] zentral [ ] Stadtgebiet [X] egal

Ganz schön mobil

1   **Was ist das Problem? Ordnen Sie die Sätze zu.**

A ☐   B ☐   C ☐

D ☐   E ☐   F ☐

1. Der Motor macht Probleme.
2. Lukas muss an der Ampel halten.
3. Lukas findet keinen Parkplatz.

4. Lukas hat eine Panne. Der Reifen ist kaputt.
5. Auf der Straße ist eine Baustelle.
6. Lukas steht im Stau.

2   **Hören Sie die Gespräche. Was ist richtig? Kreuzen Sie an.**

2.1–2

1. Maria kommt zu spät, weil …
   - a der Bus zu voll war.
   - b der Bus Verspätung hatte.
   - c in der Stadt Stau war.

2. Tom ist unpünktlich, weil …
   - a er keinen Parkplatz gefunden hat.
   - b das Navi nicht funktioniert hat.
   - c so viel Verkehr war.

3 a   **Hören Sie. Welches Verkehrsmittel benutzen die Leute? Welche Vor- und Nachteile nennen sie? Notieren Sie Stichpunkte.**

2.3–5

	Person 1	Person 2	Person 3
Verkehrsmittel	S-Bahn		
Vorteile			
Nachteile			

b **Was passt? Ordnen Sie zu und schreiben Sie je einen Beispielsatz.**

1. eine Fahrkarte __D__   A stehen

2. zu Fuß _____   B nehmen

3. den Anschluss _____   C gehen

4. das Fahrrad _____   D kaufen

5. zu spät _____   E kommen

6. im Stau _____   F verpassen

1D Ich kaufe immer eine Fahrkarte für den ganzen Monat.

c **Verkehrsmittel. Machen Sie eine Tabelle und ordnen Sie die Ausdrücke zu. Arbeiten Sie auch mit dem Wörterbuch. Manche Ausdrücke passen mehrmals. Welche Wörter kennen Sie noch? Ergänzen Sie und vergleichen Sie zu zweit.**

der Abflug | die Garage | der Pkw | die Versicherung | abfliegen | vorwärts/rückwärts fahren | bremsen | landen | parken | das Benzin | der Diesel | die Monatskarte | das Kennzeichen | einen Flug buchen | die Tankstelle | der Flughafen | die Haltestelle | umsteigen | das Ticket | der TÜV | das Kraftfahrzeug (Kfz)

das Auto	der Zug / die U-Bahn	das Flugzeug

Unterwegs

4 a **Ergänzen Sie die Fragewörter.**

1. ○ _____ fährt der Zug?
   ● Nach Prag. Unser Zug nach Wien fährt auf Gleis 5.

2. ○ _____ fährt der Zug ab?
   ● Um 16:34 Uhr.

3. ○ _____ dauert die Fahrt?
   ● Drei Stunden.

4. ○ _____ kann man Getränke kaufen?
   ● Dort ist ein Geschäft.

5. ○ _____ ist das Wetter in Wien?
   ● Gut. Die Sonne scheint.

b **Schreiben Sie indirekte Fragesätze mit den Fragen aus 4a.**

1. Der Mann weiß nicht, _____

2. Er fragt, _____

3. Er möchte wissen, _____

4. Er fragt auch, _____

5. Er will wissen, _____

c Sehen Sie die Fotos an. Was wollen die Leute wissen? Notieren Sie pro Situation eine W-Frage.

Situation 1: _____

Situation 2: _____

Situation 3: _____

d Tauschen Sie das Buch mit einem Partner / einer Partnerin. Formulieren Sie aus den Fragen indirekte Fragesätze.

1. Die Frau möchte wissen, ...

5 a Höfliche Fragen. Schreiben Sie die Fragen.

1. Könnten Sie mir sagen, _____?
   wo / kaufen / man / kann / Fahrkarten

2. Entschuldigung, wissen Sie, _____?
   ankommen / wann / der Zug aus Hamburg

3. Darf ich Sie fragen, _____?
   wie lange / fahren / nach München / wir

4. Können Sie mir sagen, _____?
   eine Fahrkarte nach Köln / kosten / wie viel

5. Wissen Sie vielleicht, _____?
   können / einen Kaffee / ich / kaufen / wo

6. Könnten Sie mir sagen, _____?
   eine Platzreservierung / wie viel / kosten

b Arbeiten Sie zu zweit. Formulieren Sie eine Frage höflicher. Ihr Partner / Ihre Partnerin antwortet. Dann fragt er/sie.

Wie spät ist es? | Wo ist die nächste Bushaltestelle? |
Wo kann man Getränke kaufen? | Wie viel kostet eine Fahrkarte? |
Wo kann ich Fahrkarten für die U-Bahn kaufen? | Wann schließen
die Geschäfte? | Wie lange dauert die Fahrt bis zum Bahnhof? |
Wo gibt es einen Parkplatz? | ...

Darf ich fragen, ...?

Weißt du, ...?

Kannst/Könntest du mir sagen, ...?

Flexibel durch die Stadt

6 a   Was fragen die Leute? Ergänzen Sie die indirekten Fragen.

Gibt es bei Flexi auch Motorräder? | Braucht man für E-Scooter einen Führerschein? |
Holt man die Autos an einem bestimmten Ort ab? | Dürfen Kinder mit E-Scootern fahren?

1. ○ Weißt du, _____?

   ● Ich habe gelesen, dass man keinen Führerschein braucht.

2. ○ Ich möchte gern wissen, _____.

   ● Das ist nicht erlaubt. Man muss mindestens 14 Jahre alt sein.

3. ○ Mich interessiert, _____.

   ● Nein, du siehst auf der Flexi-App, wo das nächste freie Auto steht, und das nimmst du dann.

4. ○ Kannst du mir sagen, _____?

   ● Motorräder? Das weiß ich nicht. Schau mal auf die Webseite.

b   Viele Fragen. Korrigieren Sie die Sätze.

1. Können Sie mir sagen, ob stehen die Leihräder an allen Haltestellen?
2. Wissen Sie, ob kann man die E-Roller auch bar bezahlen?
3. Darf ich Sie fragen, haben ob schon mal ein Auto mit der Flexi-App Sie geliehen?
4. Können Sie mir sagen, ob gratis ist die Flexi-App?
5. Entschuldigung, weißt du, ob man muss vor oder nach dem Leihen bezahlen?

1. Können Sie mir sagen, ob die Leihräder an allen Haltestellen stehen?

7   Wählen Sie.

A Ergänzen Sie das Gespräch. Die Wörter unten helfen.   **B Ergänzen Sie das Gespräch.**

○ Fährst du am Wochenende mit nach Bonn?

● Ich weiß noch nicht, (1) _____ ich Zeit habe. Habt ihr schon entschieden,

   (2) _____ ihr mit dem Auto oder mit dem Zug fahrt?

○ Ja, wir fahren mit einem Leih-Auto.

● Und hast du schon recherchiert, (3) _____ die Fahrt nach Bonn dauert?

○ Ja, fast fünf Stunden.

● Und wisst ihr, (4) _____ ihr schlafen wollt?

○ Ja, ich kenne ein günstiges Hotel.

● Weißt du, (5) _____ eine Nacht dort kostet?

○ 50 Euro pro Person.

ob | wo | wie viel | ob | wie lange

So findest du zu mir

8 a **Was passt? Lesen Sie den Tipp und ergänzen Sie die Präpositionen in den Sätzen.**

> **Wegbeschreibung**
> Diese Präpositionen kennen Sie schon:
>
> | **Wo?** | *in* + Dativ | *In der Ludwigstraße gehen Sie …* |
> | | *an* + Dativ | *An der Ampel müssen Sie …* |
> | | *neben* + Dativ | *Neben dem Kaufhaus beginnt …* |
> | | *hinter* + Dativ | *Hinter der Schule ist …* |
> | | *auf* + Dativ | *Auf dem Marktplatz sehen Sie …* |
> | **Woher?** | *aus* + Dativ | *Wenn Sie aus dem Park kommen, gehen Sie …* |

1. _____ der Kreuzung gehen Sie nach rechts.

3. Wenn Sie _____ dem Kaufhaus kommen, müssen Sie nach links gehen.

5. _____ dem Rathausplatz ist ein kleines Café.

2. _____ dem Café ist eine Bäckerei. Gehen Sie dort rechts.

4. _____ der Wilhelmstraße ist ein Supermarkt.

6. _____ dem Supermarkt ist die Post.

b **Was passt wo? Ergänzen Sie.**

durch | an … vorbei | bis zur | gegenüber vom

1. Geh _____ der Bank _____.

2. Geh dann _____ Kreuzung und dort links. Da beginnt der Park.

3. Geh _____ den Park. Dann siehst du einen Supermarkt.

4. Und _____ Supermarkt ist das Café.

c **Ordnen Sie das Gespräch. Hören Sie dann zur Kontrolle.**

2.6

_____ ○ Dann gehen Sie an der Post und am Supermarkt vorbei. Dann sehen Sie eine Kirche.

_____ ○ Bitte.

_____ ● Und wohin gehe ich, wenn ich an der Kirche bin?

_____ ● Vielen Dank.

_____ ○ Das ist ganz einfach. Gehen Sie hier durch den Park.

_1_ ● Entschuldigung, ich suche das Kaufhaus Müller.

_____ ● Durch den Park und dann?

_____ ○ Dann sind Sie schon da. Gegenüber von der Kirche ist das Kaufhaus Müller.

d **Akkusativ oder Dativ? Kreuzen Sie an.**

1. ○ Entschuldigung, ich suche die Post.
   ● Die Post? Die ist hinter ☐ den ☐ dem Bahnhof. Du kannst durch ☐ den ☐ dem Bahnhof gehen.
2. ○ Können Sie mir sagen, wo hier ein Parkhaus ist?
   ● Fahren Sie bis zu ☐ die ☐ der Kreuzung dort und dann sehen Sie links schon das Parkhaus.
3. ○ Wissen Sie, wo die nächste Bushaltestelle ist?
   ● Sehen Sie die Kirche dort? Gegenüber von ☐ die ☐ der Kirche ist eine Bushaltestelle.
4. ○ Entschuldigung, wissen Sie, wo das Café Koala ist?
   ● Ja, gehen Sie an ☐ die ☐ den Geschäften vorbei. Dann sehen Sie links das Café.

e **Hören Sie die Wegbeschreibung und zeichnen Sie den Weg in den Plan.**

2.7

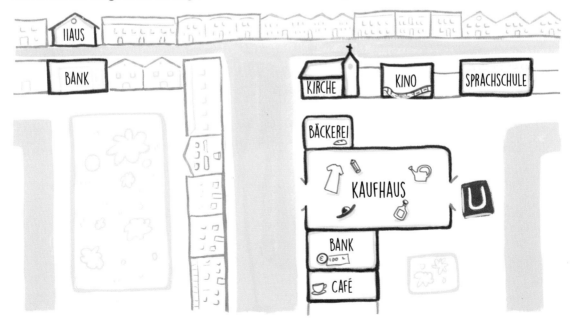

f **Beschreiben Sie mit dem Plan in 8e den Weg von der U-Bahn zur Sprachschule.**

> Hey, ich bin ab Montag auch in der Sprachschule. Kannst du mir schnell schreiben, wie ich von der U-Bahn dorthin komme? Danke!

🔊 **9 a** **Aussprache: schwierige Wörter: Markieren Sie die Wortgrenzen und hören Sie die Wörter.**

2.8

1. Führerscheinprüfung
2. Fahrkartenschalter
3. Versicherungskarte
4. Zugfahrkarte
5. Bushaltestelle
6. Bahnhofshalle
7. Verkehrsproblem
8. Kinderabteil
9. Zugverspätung

> ❗ Bei manchen Komposita steht zwischen den beiden Wortteilen ein *s*.
> *Versicherung + Karte →*
> *Versicherungskarte.*
> Wenn man das Wort trennt, gehört das *s* zum ersten Wortteil: *Versicherungs-karte.*

b **Sprechen Sie die Wörter laut und nehmen Sie sich mit dem Handy auf. Hören Sie dann noch einmal zur Kontrolle.**

c **Schreiben Sie mit drei Wörtern aus 9a je einen Satz. Lesen Sie Ihre Sätze laut.**

Nach der Führerscheinprüfung ...

Durch die Stadt

10 a **Ergänzen Sie die Artikel. Der Text im Kursbuch hilft bei vielen Wörtern.**

1. _____ Situation
2. _____ Stau
3. _____ Luft
4. _____ Radweg
5. _____ Konsequenz
6. _____ Lösung
7. _____ Zukunft
8. _____ Verkehrsproblem
9. _____ Großstadt
10. _____ Kombination
11. _____ Idee
12. _____ Vorschlag

b **Lesen Sie die Zusammenfassung zum Artikel aus dem Kursbuch und ergänzen Sie die Wörter.**

Kombination | Fahrzeuge | Freizeit | Radwege | Lösungen | Innenstadt | Ampeln | Fahrrad

Experten suchen nach (1) _____ für das Verkehrsproblem in den großen Städten.

In Kopenhagen fahren viele Menschen zum Beispiel mit dem (2) _____, denn

dort gibt es breite (3) _____ und besondere (4) _____

für Radfahrer. In vielen Großstädten sind (5) _____ wie E-Scooter oder E-Bikes

beliebt, aber die meisten Menschen nutzen sie nur in der (6) _____ und nicht auf

dem Weg zur Arbeit. In La Paz gibt es umweltfreundliche Seilbahnen, aber die sind teuer. In manchen

Städten, zum Beispiel Mailand, dürfen Autos nicht mehr in die (7) _____ fahren.

Die Lösung ist wahrscheinlich eine (8) _____ von verschiedenen Ideen.

c **Eine Meinung äußern. Ordnen Sie die Redemittel in die Tabelle.**

Ich finde … gut, weil … | … ist sehr interessant. | Ich finde … keine gute Idee, weil … |
Für mich ist … nicht sinnvoll. | Ich meine, dass … wichtig ist. | Ich bin gegen …, weil … |
Ich denke, das ist richtig, weil … | Ich glaube, … funktioniert nicht. | Ich bin für …, weil …

positiv	negativ

d **Wählen Sie eine Aussage und reagieren Sie darauf. Schreiben Sie Ihre Meinung und begründen Sie.**

A Wir müssen die Verkehrsprobleme in den Städten lösen. Wenn man für Busse und U-Bahnen nichts bezahlen muss, dann fahren auch weniger Leute mit dem Auto. Das ist gut, oder?

B Wir brauchen Straßen nur für Fahrräder. Dort sind Autos dann verboten. So kommt man mit dem Rad schnell von A nach B. Ich bin der Meinung, dass das eine gute Idee ist.

Der Weg zur Arbeit in D-A-CH

11 a **Lesen Sie den Text über einen Pendler. Beantworten Sie die Fragen.**

1. Wie viele Kilometer fährt Hajo W. jeden Tag?
2. Wie lange braucht er für den Weg zur Arbeit?
3. Welche Probleme gibt es?
4. Warum wohnt er so weit weg von seiner Arbeit?
5. Was findet er an der Situation gut?

Im Sommer hat Hajo W. eine neue Arbeitsstelle gesucht. Er hatte ein gutes Angebot in Frankfurt, 30 Minuten Fahrzeit von zu Hause zur Arbeit. Aber der interessantere und bessere Job war in Neuwied, einer Kleinstadt, 130 km von seinem Wohnort entfernt. Er hat sich für diesen Job entschieden. Jetzt fährt er fünfmal in der Woche mit der Bahn von Frankfurt nach Neuwied und wieder zurück. Eine Fahrt dauert fast zwei Stunden.

„Das Problem ist nicht die Zeit selbst, aber der Zeitdruck ist schwierig. Ich muss pünktlich gehen, denn sonst verpasse ich meinen Zug und dann muss ich eine Stunde warten. Und im Winter sind die Züge oft nicht pünktlich. Ich stehe dann immer noch früher auf, aber oft komme ich zu spät in die Arbeit, weil die Züge Verspätung haben.

Aus Frankfurt möchten wir aber auf keinen Fall wegziehen. Wir haben ein Haus gekauft, die Kinder gehen hier zu Schule und haben hier ihre Freunde. Auch die Freunde von meiner Frau und mir wohnen hier."

Aber etwas Gutes hat das Pendeln schon: „Ich habe Zeit zum Lesen, das finde ich gut. Ich lese im Zug Zeitung und Bücher. Und manchmal nutze ich die Zeit auch für meine Arbeit."

b **Was ist für Sie wichtiger? Ein guter Job oder ein Job nicht weit von zu Hause? Schreiben Sie mindestens fünf Sätze. Begründen Sie Ihre Meinung.**

12   Sehen Sie die Grafik an und korrigieren Sie die Aussagen.

Fahrradfahren in Deutschland

Genutzte Verkehrsmittel im Alltag

Auto — 85%
Rad — 49
ÖPNV — 47
Motorrad/Roller/Mofa — 9
Pedelec/E-Bike — 6

Wofür bzw. auf dem Weg wohin kommt das Rad zum Einsatz?

Sport — 45%
Erholung — 34
Schule/Studium — 29
Besuche — 24
Erledigungen — 21
Einkaufen — 18
Arbeit — 16
Ausgehen — 16

Online-Befragung von 1904 Erwachsenen ab 18 Jahren im Herbst 2017
Quelle: Gesellschaft für innovative Marktforschung (GIM)
© Globus 12742

ÖPNV = Öffentlicher Personennahverkehr = Öffentliche Verkehrsmittel

1. 49 Prozent fahren im Alltag mit dem Auto. _____

2. Nur wenige sehen das Fahrradfahren als Sport. _____

3. 18 Prozent fahren mit dem Rad zur Uni. _____

4. Für den Weg ins Büro nehmen 21 Prozent ihr Rad. _____

5. Die meisten fahren mit dem Rad, wenn sie am Abend unterwegs sind. _____

Zug-Geschichten

13   Hören Sie ein Gespräch. Mit welchem Verkehrsmittel kommen die Personen zu den Orten? Ordnen Sie zu.

2.9

1. zum Supermarkt	2. ins Büro	3. ins Fitness-Studio	4. an den See	5. in die Berge

A   B   C   D

E   F   G

R1 **Sehen Sie das Bild an. Was fragt die Frau?**
Sagen Sie drei Sätze.

1. Entschuldigung, wissen Sie, …?
2. Können Sie mir sagen, …?
3. Ich möchte gern wissen, …

	☺☺	☺	😐	☹	KB	ÜB
💬 Ich kann Informationen erfragen.	☐	☐	☐	☐	4–5, 6b–7	4–7

R2 **Lesen Sie die Nachricht und antworten Sie Mara.**

> Danke für die Einladung, ich komme gern zu deiner Geburtstagsparty! Kannst du mir bitte noch mal kurz den Weg vom Bahnhof zu dir nach Hause beschreiben?
> LG und bis Samstag
> Mara

	☺☺	☺	😐	☹	KB	ÜB
📖🔊 Ich kann eine Wegbeschreibung verstehen und 🖉 geben.	☐	☐	☐	☐	8	8

R3 **Lesen Sie die Anzeige. Wie finden Sie das Angebot? Schreiben Sie einen kurzen Text und begründen Sie Ihre Meinung.**

> **Autos für alle**
> Wohnen Sie in der Stadt und brauchen eigentlich kein eigenes Auto? Wollen Sie aber jederzeit günstig und flexibel ein Auto in Ihrer Nähe nutzen? Wir haben die Lösung: Buchen Sie ein Fahrzeug bei uns. Melden Sie sich an und fahren Sie mit Ihrer Kundenkarte einfach los.

	☺☺	☺	😐	☹	KB	ÜB
💬🖉 Ich kann meine Meinung ausdrücken.	☐	☐	☐	☐	10c	10d, 11b

Außerdem kann ich …	☺☺	☺	😐	☹	KB	ÜB
🔊 … Gespräche über Verkehrsmittel verstehen.	☐	☐	☐	☐	2	2, 3a
💬 … über Verkehrsmittel sprechen.	☐	☐	☐	☐	3	3
📖 … eine Werbeanzeige verstehen.	☐	☐	☐	☐	6a	
📖 … einen Zeitungsartikel verstehen.	☐	☐	☐	☐	10a–b	
💬📖 … über den Weg zur Arbeit sprechen und einen Text darüber verstehen.	☐	☐	☐	☐	11	11a
💬 … eine Grafik beschreiben.	☐	☐	☐	☐	12a	12
🔊 … kurze Geschichten verstehen.	☐	☐	☐	☐	13b–c	
🖉 … eine Geschichte schreiben.	☐	☐	☐	☐	13d–e	
🔊 … ein Gespräch verstehen.	☐	☐	☐	☐		13

Verkehr in der Stadt

das E-Bike, -s _____

ab|stellen _____

die Fahrt, -en _____

flexibel _____

die Linie, -en _____

der Radfahrer, - _____

der Radweg, -e _____

die Seilbahn, -en _____

Verkehrsprobleme

das Chaos (Sg.) _____

der Stau, -s *(im Stau stehen)* _____

die Luft (Sg.) _____

in Zukunft _____

reduzieren _____

umweltfreundlich _____

die Großstadt, ̈e _____

die Innenstadt, ̈e _____

die Kombination, -en _____

die Konsequenz, -en _____

das Konzept, -e _____

rund ums Auto

das Fahrzeug, -e _____

das Kfz, -s / das Kraftfahrzeug, -e _____

der Pkw, -s _____

das Kennzeichen, - _____

der Motor, -en _____

der Reifen, - _____

die Panne, -n _____

bremsen _____

die Garage, -n _____

das Navi, -s _____

das Benzin (Sg.) _____

der Diesel (Sg.) _____

tanken _____

die Tankstelle, -n _____

parken _____

das Parkhaus, ̈er _____

der Parkplatz, ̈e _____

der TÜV (Sg.) _____

versichert _____

die Versicherung, -en _____

im Zug

die Zugfahrt, -en _____

das Bordbistro, -s _____

das Kinderabteil, -e _____

die Monatskarte, -en _____

die Platzreservierung, -en _____

pendeln _____

brauchen *(Wie lange brauchst du zur Arbeit?)* _____

weiter|fahren, er fährt weiter, ist weitergefahren _____

Mensch, wann geht es weiter? _____

rund ums Flugzeug

ab|fliegen, er fliegt ab, ist abgeflogen _____

der Abflug, ̈e _____

buchen _____

landen _____

einen Weg beschreiben

die Beschreibung, -en _____

an … vorbei (+ D.) _____

gegenüber von (+D.) _____

dorthin _____

die Richtung, -en _____

vorwärts _____

rückwärts _____

Geh immer geradeaus. _____

vorbei|gehen, er geht vorbei, ist vorbeigegangen _____

die Kreuzung, -en _____

die Ampel, -n _____

halten, er hält, hat gehalten *(Lukas hält an der Ampel.)* _____

einen Service nutzen

der Kundenservice, -s _____

telefonisch _____

erreichen _____

lösen *(ein Problem lösen)* _____

registrieren (sich) _____

die PIN, -s _____

von Untersuchungen berichten

die Expertin, -nen _____

das Prozent, -e _____

etwa *(etwa ein Drittel)* _____

die Untersuchung, -en _____

zeigen *(Untersuchungen
zeigen, dass …)* _____

die Meinung sagen

die Meinung, -en *(Ich bin
der Meinung, dass …)* _____

Du hast recht. _____

gegen (+A.) *(Ich bin gegen
Autos im Stadtzentrum.)* _____

dafür sein _____

dagegen sein _____

Es geht auch anders. _____

andere wichtige Wörter und Wendungen

der Artikel, - *(ein Artikel in
der Zeitung)* _____

d. h. *(das heißt)* _____

der Kinderwagen, - _____

die Mama, -s _____

die Stadtbesichtigung, -en _____

der Konzertsaal, -säle _____

klatschen _____

das Gewitter, - _____

die Kaution, -en _____

ob *(Ich möchte gern wissen,
ob der Zug pünktlich ist.)* _____

Ganz schön schnell! _____

schon mal _____

die SMS, - _____

der Tarif, -e _____

die Werbung, -en _____

sogar _____

elektrisch _____

allgemein _____

ewig _____

nervig _____

nötig _____

sinnvoll _____

ungeduldig _____

unpraktisch _____

unterschiedlich _____

setzen (sich) _____

überlegen (sich) _____

versprechen, er verspricht,
hat versprochen _____

vor|haben, er hat vor,
hat vorgehabt _____

zusammen|fassen _____

Wichtig für mich:

_____

_____

_____

Welche Verkehrsmittel gibt es in Ihrer Stadt? Notieren Sie.

Ergänzen Sie ein passendes Verb.

1. den Bus _____

2. mit dem Zug _____

3. zu Fuß _____

4. im Stau _____

5. einen Parkplatz _____

6. eine App _____

Gelernt ist gelernt!

1 a   **Ordnen Sie die Wörter zu.**

die Aussprache üben | einen Badeanzug tragen | in einer Band sein | Gemüse und Blumen
pflanzen | Gitarre spielen | ein Lied singen | im Garten arbeiten | Bilder bearbeiten |
die Schrift lernen | im See schwimmen | mit der Kamera fotografieren | Wörter wiederholen |
einen Schwimmkurs machen

b   **Lesen Sie die Nachrichten von Fabian und Hanna. Was sind ihre neuen Hobbys und warum?
Markieren Sie.**

> Hi Hanna, hast du Hunger? Ich koche heute!

> ☺ Seit wann kannst du kochen?

> Ich hatte keine Lust mehr auf Pizza und Brote, also habe ich einen Koch-kurs gemacht. Und war total zufrieden, ist nicht schwer! Ich koche jetzt oft und gern.

> Wow, das finde ich super. Aber ich kann erst heute Abend, bin am See!

> Oh, das Wetter ist aber nicht so gut. Was machst du, wenn es so windig ist?

> Meine Segelstunde fängt gleich an und der Wind ist super! 👍

> Seit wann machst du einen Kurs?

> Seit einem Monat, jeden Samstag. Ich liebe das Wasser und den Wind! Da ist Segeln perfekt für mich! Und mein Lehrer ist super, bald kann ich allein segeln.

> Dann komm doch nach dem Kurs und wir essen zusammen! Um sechs?

> Das klingt wunderbar! Dann bin ich um sechs bei dir! Freu mich!

c   **Lesen Sie die Nachrichten noch einmal. Zu wem passen die Sätze? Notieren Sie die Namen.**

1. _____ wollte etwas in seinem Alltag ändern.

2. _____ ist zufrieden mit dem Lehrer.

3. _____ findet das neue Hobby leicht.

4. _____ ist schon fertig mit dem Kurs.

5. _____ ist gern draußen.

6. _____ wartet auf die andere Person.

2 a **Wie kann man Sprachen lernen? Ergänzen Sie die Mindmap.**

mit einem Buch

Mit welchen Medien?

Mit wem?

Sprachen lernen

Wo?

Wann und wie oft?

an der Uni

> **!**
>
> Möchten Sie einen Text schreiben?
> Machen Sie sich zuerst Notizen zum Thema, zum Beispiel mit einer Mindmap.
> Das hilft beim Schreiben.

b **Wie lernen Sie Deutsch oder wie haben Sie eine andere Sprache gelernt? Schreiben Sie mindestens fünf Sätze.**

Wo ist das Problem?

3 a **Welcher Prüfungstyp sind Sie? Kreuzen Sie an.**

1. In einigen Wochen haben Sie eine Prüfung.
▲ Sie machen einen Plan und lernen jeden Tag.
■ Sie lernen am Anfang sehr viel und dann nur noch wenig. Ein paar Tage vor der Prüfung wiederholen Sie die wichtigen Infos.
● Sie lernen, wenn Sie Zeit haben. Mal mehr, mal weniger.

2. Ihre Freunde sprechen über Prüfungen.
● Sie erzählen, welche Prüfung besonders leicht für Sie war.
▲ Sie möchten schnell das Thema wechseln.
■ Das Gespräch langweilt Sie.

3. Morgen haben Sie eine wichtige Prüfung.
■ Sie lesen heute noch einmal den Stoff durch und gehen früh schlafen.
● Heute ist nicht morgen. Sie treffen heute Abend Freunde und feiern zusammen.
▲ Sie lernen bis spät in die Nacht und schlafen schlecht.

4. Nach der Prüfung denken Sie:
▲ Bestimmt habe ich eine schlechte Note.
● Ich bekomme sicher eine gute Note!
■ Endlich vorbei und die Note ist nicht so wichtig!

b **Welches Symbol haben Sie in 3a am häufigsten angekreuzt? Lesen Sie die Beschreibung zu Ihrem Prüfungstyp. Sind Sie einverstanden? Sprechen Sie zu zweit.**

● Der lockere Typ	■ Normalo	▲ Der gestresste Typ
Sie haben keine Angst vor Prüfungen und schlechten Noten. In einer Prüfung können Sie endlich zeigen, was Sie alles wissen. *Tipp:* Sie sollten aufpassen, dass Sie Prüfungen nicht zu leicht nehmen. Bereiten Sie sich immer gut vor!	Sie finden Prüfungen ganz normal – sie gehören einfach zum Leben. Sie bereiten sich vor, aber Sie lernen nicht zu viel. *Tipp:* Lernen Sie manchmal etwas mehr und freuen Sie sich über gute Ergebnisse.	Sie bereiten sich immer sehr gut vor, aber vor Prüfungen sind Sie sehr nervös. Glauben Sie an sich selbst – Sie können sehr viel! *Tipp:* Nehmen Sie Prüfungen nicht zu ernst! Jeder hat mal eine schlechte Note.

→•← c **Markieren Sie sieben Adjektive. Wählen Sie dann.**

A **Wie heißt das Gegenteil der Adjektive? Notieren Sie. Die Wörter unten helfen.**

B **Wie heißt das Gegenteil der Adjektive? Notieren Sie.**

A B F A U L C D N E R V Ö S E F D O O F G H S C H L E C H T I J K W E N I G L M N S P Ä T O P Q M Ü D E K S T

klug | früh | fleißig | wach | ruhig | gut | viel

▤ **4 a Ergänzen Sie die Wörter in der richtigen Form. Arbeiten Sie mit dem Wörterbuch, wenn nötig.**

erfahren | Förderung | neugierig | buchen | schriftlich | Sekretariat | Sprechstunde

---

Lernstudio „Stressfrei"

Hast du Probleme beim Lernen? Bist du (1) _____ auf neue Ideen und hast du

Interesse an einer individuellen (2) _____? Dann komm zu uns!

Du kannst in der Gruppe oder auch einzeln lernen. Informiere dich und komm in unsere Beratung. Jeden

Tag von 17–18 Uhr hat ein Lehrer / eine Lehrerin (3) _____ und kann dir sagen, was für

dich am besten ist. Eine Anmeldung ist nicht erforderlich.

Angst vor Prüfungen? – Wir üben mit dir mündliche und (4) _____ Prüfungen.

Am Wochenende bieten wir Workshops mit (5) _____ Prüferinnen und Prüfern. Alle

unsere Angebote kannst du online (6) _____ und bezahlen oder du kommst direkt in

unser (7) _____ in der Bahnhofsstraße 15. Noch Fragen? Hinterlass eine Mitteilung auf

unserer Mailbox, wir rufen zurück.   www.stressfreilernen.com

---

◀)) b **Hören Sie die Radiosendung. Welche Probleme haben Claudio, Romy und Giorgos? Notieren Sie.**
2.10
Claudio: kann nicht schlafen, hat ...

c **Lerntipps für Claudio, Romy und Giorgios. Zu wem passen die Tipps? Notieren Sie die Namen.**

1. Du solltest die Prüfung mit Freunden üben. Sie fragen dich und du antwortest. _____

2. Du solltest vor dem Schlafen noch einen Spaziergang machen. _____

3. Du solltest den Prüfenden erzählen, dass du Angst hast. Sie helfen dir bestimmt. _____

4. Du solltest zusammen mit anderen lernen und wiederholen. _____

d **Kreuzen Sie die richtige Form an.**

1. Wenn du eine Prüfung hast, ☐ solltet ☐ solltest du rechtzeitig mit dem Lernen anfangen.
2. Man ☐ sollte ☐ sollten fragen, wenn man etwas nicht versteht.
3. Für das Erklären und Wiederholen ☐ sollte ☐ solltet der Lehrer / die Lehrerin sich Zeit nehmen.
4. Die Studenten ☐ sollte ☐ sollten in Gruppen lernen.
5. Wenn es sehr stressig ist, ☐ sollte ☐ solltet ihr auch Pausen machen.
6. Wir ☐ solltet ☐ sollten einen Lernplan machen.
7. Ich ☐ sollte ☐ solltest beim Lernen das Handy ausmachen, dann kann ich mich besser konzentrieren.

❗ Die Formen von *sollte* im Konjunktiv II sind wie die Formen im Präteritum.

e Lesen Sie den Beitrag von Mareike in einem Studentenforum. Ergänzen Sie die passenden Formen von *sollte*.

Mareike03 Ich hatte früher auch Lernprobleme, aber seit einem Jahr klappt es besser.

Hier sind ein paar von meinen Tricks: 😌

Du (1) _____ eine Lerngruppe finden und sie regelmäßig treffen.

Die Leute aus der Lerngruppe (2) _____ dich unterstützen.

Ihr (3) _____ öfter zusammen lernen, dann versteht ihr den Stoff

besser. So macht das Lernen mehr Spaß.

Eine Sache mache ich leider immer noch falsch: Ich (4) _____

nicht mehr so spät am Abend lernen! Am Morgen habe ich dann alles wieder

vergessen … Aber vielleicht ist das nur mein Problem. Ich habe in einer

Zeitschrift noch andere interessante Tipps gelesen: Man (5) _____

verschiedene Lernmethoden ausprobieren – dann merkt man, wie man am

besten lernt. Wenn du dir Sachen merken musst, (6) _____ du sie

aufschreiben und oft wiederholen.

---

5 a Formulieren Sie je zwei Ratschläge mit *können, sollen* im Konjunktiv II oder mit dem Imperativ.

einen Spaziergang machen | mit anderen im Kurs sprechen | früher schlafen gehen |
nicht so viel Kaffee trinken | schöne Musik hören | regelmäßig Pause machen

Du solltest öfter …   Du kannst …   Sprich mit …

b Lesen Sie die Lernprobleme und die Ratschläge. Zu welchen Problemen gibt es einen Ratschlag?
Ordnen Sie zu.

1. Ich kann mir Wörter schlecht merken.

3. Wenn ich lernen muss, bin ich schnell müde.

5. Ich kann mich nicht konzentrieren, weil es zu Hause zu laut ist.

2. Vor der Prüfung muss ich zu viel lernen.

4. Meine Freunde rufen mich die ganze Zeit an.

6. Vor jeder Prüfung bin ich total nervös!

A Sie sollten früh mit dem Lernen beginnen. Machen Sie sich einen Zeitplan, dann schaffen Sie

alles. _____

B Du solltest dich gut auf die Prüfung vorbereiten, dann hast du auch keine Angst. Denk positiv,

das hilft. _____

C Schreiben Sie die Wörter auf Kärtchen und wiederholen Sie diese Wörter. Sie können die Kärtchen

mitnehmen und unterwegs wiederholen oder in Ihrem Zimmer aufhängen. _____

c Schreiben Sie Ratschläge zu den drei anderen Problemen in 5b.

Beruf *Sprache*

6 a **Ergänzen Sie die Wörter. Achten Sie auf die richtige Form.**

Auftrag | Ausbildung | Ausdruck | ausländisch | begleiten | Behörde | Dolmetscherin |
Kommunikation | freiberuflich | klappen | Vollzeit

1. Als _____ sollte man mindestens zwei Sprachen sehr gut können. Dann

   muss man noch eine _____ machen oder studieren.

2. Viele arbeiten _____, denn es gibt nur wenige Stellen für Angestellte in

   _____, also mit 38–40 Stunden pro Woche.

3. Ohne Dolmetscher funktioniert die _____ nicht oder schlechter. Für den

   Kontakt mit _____ Firmen und Geschäftspartnern sind Dolmetscher

   wichtig.

4. Man bekommt oft sehr unterschiedliche _____: Dokumente übersetzen

   oder Gespräche und Präsentationen direkt dolmetschen.

5. Manchmal _____ man Personen zu einem wichtigen Termin oder auch,

   wenn sie zu einer _____ müssen, zum Beispiel für einen neuen Ausweis.

6. Man muss die Sprachen wirklich gut beherrschen, denn jeder _____

   muss genau passen. Es kann sonst leicht passieren, dass die Kommunikation nicht problemlos

   _____.

b **Hören Sie das Radio-Interview. Was ist richtig? Kreuzen Sie an.**

2.11

1. Mira Devi …
   - a schreibt für eine Fernsehsendung.
   - b ist Politikerin.
   - c hat eine Radiosendung.

2. Mira Devi …
   - a muss viele Sprachen sprechen.
   - b ist viel mit anderen Menschen in Kontakt.
   - c arbeitet meistens im Büro.

3. Jonas Wellmann findet seinen Beruf …
   - a sehr gut.
   - b zu stressig.
   - c nicht sehr spannend.

4. Der Nachteil am Beruf von Frau Devi …
   - a sind die Arbeitszeiten.
   - b ist die Bezahlung.
   - c sind die Reisen.

5. Der Nachteil am Beruf von Jonas Wellmann …
   - a sind die langen Arbeitszeiten.
   - b ist die kurze Zeit in fremden Städten.
   - c ist die Bezahlung.

7 a *Was für ein/e?* **Fragen an eine Journalistin. Ergänzen Sie in der richtigen Form.**

1. ○ _Was für einen_____ Text schreiben Sie gerade? ● Einen Bericht für eine Zeitung.

2. ○ _____ Interviews machen Sie? ● Meistens kurze Interviews mit Politikern.

3. ○ _____ Themen interessieren Sie? ● Politische Themen hier in meiner Stadt.

4. ○ Über _____ Auftrag freuen ● Über einen Auftrag zu einem spannenden
   Sie sich am meisten?   Thema.

5. ○ Mit _____ Kollegen arbeiten Sie gern zusammen? ● Mit neugierigen Kollegen.

6. ○ In _____ Team fühlen Sie sich wohl? ● In einem Team mit Profis.

7. ○ _____ Ausbildung haben Sie gemacht? ● Eine Ausbildung als Journalistin.

8. ○ Für _____ Firma möchten Sie mal arbeiten? ● Für einen Fernsehsender.

b **Kreuzen Sie die richtige Form an und ergänzen Sie den unbestimmten Artikel oder –.**

1. ○ Was für ☐ ein ☐ einen Test hast du nächste Woche?

   ● _____ Grammatiktest, da muss ich noch ein bisschen lernen.

2. ○ Was für ☐ eine ☐ einen Präsentation musst du machen?

   ● _____ Firmen-Präsentation für den neuen Kunden.

3. ○ Kannst du mir ein Buch für die Reise empfehlen?

   ● Was für ☐ ein ☐ – Bücher liest du denn gern?

   ○ Am liebsten _____ spannende Bücher.

4. ○ Von was für ☐ einem ☐ ein Projekt hat Sarah erzählt?

   ● Ach, von _____ interessanten Projekt mit einem ausländischen Kunden.

5. ○ Wir wollen mit der Firma einen Ausflug machen.

   ● Was für ☐ ein ☐ einen Ausflug wollt ihr machen?

   ○ Wahrscheinlich machen wir _____ Tagesausflug nach Frankfurt.

c **Arbeiten Sie zu zweit. Stellen Sie Fragen mit *Was für ein/e* und ergänzen Sie die Informationen.**

A

Was für ein...?	Henrik	Lili	Murat
Prüfung?	in Englisch		mündliche Prüfung
Problem?		nicht alles verstehen	
Tipp?	Lernplan machen		

B

Was für ein...?	Henrik	Lili	Murat
Prüfung?		schrift-lichen Kurstest	
Problem?	zu wenig Zeit		sehr nervös sein
Tipp?	in der Gruppe lernen		mit Freunden üben

Was für eine Prüfung macht Henrik?   *Er macht eine Prüfung in Englisch.*

◀)Q 8 a Aussprache: *b*, *d* und *g* am Wortende. Lesen Sie und markieren Sie: Wo spricht man *p*, *t* und *k* und wo
2.12 ** *b*, *d* und *g*? Hören Sie dann zur Kontrolle.**

1. Hast du den spannen**d**en Film über Finnlan**d** gesehen?
2. Spannen**d**? Ich ma**g** Filme über andere Län**d**er, aber das war nicht spannen**d**.
3. Am Diensta**g** hab' ich einen dringen**d**en Auftra**g** bekommen.
4. Vor dem Urlau**b** ist immer alles dringen**d**, aber dann hast du zehn Ta**g**e Pause von den Aufträ**g**en.
5. Am Aben**d** hab' ich fast immer frei – das fin**d**' ich an meinem Jo**b** super.
6. Manche Kollegen müssen auch an den Aben**d**en und am Wochenen**d**e arbeiten.

b **Lesen Sie die Sätze aus 8a laut.**

c **Arbeiten Sie zu zweit. Jede/r notiert drei Sätze mit diesen und anderen Wörtern. Diktieren Sie die Sätze,**
der/die andere schreibt. Wechseln Sie dann und kontrollieren Sie sich gegenseitig.

am Freitagabend | Frau Demir | Herr Rode |
Kino | Band | Ticket | Konzert | spannend |
keine Zeit | Job | Aufträge | anstrengend |
fremd | haben | und | treffen | er/sie mag |
Geld | Geburtstag | bald | Montag | Urlaub |
Koffer packen | Strand | Wald | gehen |
plötzlich | Freund | Ausland | Kind | …

Am Freitagabend geht mein Freund …

Voneinander lernen

9 a **Lesen Sie die Überschriften von einem Artikel in einer Zeitschrift und sehen Sie das Foto an. Welche**
Informationen erwarten Sie im Artikel? Kreuzen Sie an.

☐ 1. Wo ist der Workshop?
☐ 2. Wer lernt von wem?
☐ 3. Was lernen die Leute?
☐ 4. Wann gibt es Pausen?
☐ 5. Warum sind dort Jugendliche?
☐ 6. Wie alt sind die Jugendlichen?
☐ 7. Wie viele Manager/innen sind da?
☐ 8. Wie lange dauert der
Workshop?
☐ 9. Was essen und trinken die
Teilnehmenden?

Was Manager von
Jugendlichen lernen können

Kreativ sein und neue Ideen bekommen – in einem
Wochenendworkshop lernen Manager von Jugendlichen

b   Lesen Sie den Artikel. Notieren Sie: In welchen Zeilen finden Sie Informationen zu den Fragen aus 9a?

„Mir ist wichtig, dass ich wichtig bin." – So stellt sich Paula eine Managerin vor. Die „echten" Teilnehmenden im Managerkurs lachen. Ob sie
5   wirklich so sind? An diesem Wochenende können sie über diese und andere Sätze nachdenken und kontrollieren: Ist das vielleicht wahr?
10   Paula ist 12 Jahre alt und dieses Wochenende ist für sie ganz anders als ein normales Wochenende. Zusammen mit 15 anderen Jugendlichen zwischen 12 und 15 Jahren besucht sie ein Wochenende lang mit 21
15   Managern und Managerinnen aus der Wirtschaft einen Workshop in einem alten Fabrikgebäude in Berlin. Aber auch für die Erwachsenen ist es eine ganz neue Erfahrung, denn in diesem Workshop sind sie wieder die Schüler/innen und lernen
20   von den Jugendlichen. Die Jugendlichen zeigen den Teilnehmenden, wie sie Probleme lösen: Sie sind kreativ und offen für neue Lösungen.

Für die Erwachsenen ist es spannend, dass die Jugendlichen anders denken und dass man nicht gleich Nein   25 zu neuen Ideen sagen sollte. Sie sehen, dass Jugendliche nicht so gestresst sind und auch deshalb Probleme ganz anders lösen – und das oft erfolgreich.   30
Nach dem Kennenlernen spielen die Jugendlichen Manager. Sie bekommen Zettel mit Problemen aus dem echten Arbeitsleben von den Teilnehmenden. Zum Beispiel die Frage, wie man   35 für ein Produkt besser Werbung machen kann. Auch die Jugendlichen diskutieren länger, aber sie haben Spaß dabei und die Manager und Managerinnen hören zu. Am Ende des Seminars haben die Jugendlichen zu allen Fragen Antworten   40 gefunden. Und die Manager? Die möchten die Jugendlichen wiedersehen und noch mal einen Workshop zusammen machen – und in Zukunft auch mal andere Ideen ausprobieren.

Frage 1: Zeile 16–17

c   Ergänzen Sie die Mail mit Informationen aus dem Artikel. Manchmal gibt es mehrere Möglichkeiten.

Hallo Tabea,   ⊠

ich habe einen interessanten Artikel über einen Workshop für Personen im Management gelesen.

Stell dir vor: In dem Workshop zeigen (1) _____ einer Gruppe von

(2) _____, wie sie besser arbeiten können. Das hört sich verrückt an, oder? Die

Jugendlichen sind zwischen (3) _____ und (4) _____ Jahre alt. An dem

(5) _____ haben 21 Manager und Managerinnen teilgenommen. Der Workshop war

in (6) _____ in einer alten Fabrik und hat zwei (7) _____ gedauert.

Die Jugendlichen haben (8) _____ gespielt und Lösungen für echte

(9) _____ gefunden. Die Erwachsenen haben gelernt, dass man Probleme sehr kreativ

lösen kann. Sie sind jetzt offener für neue (10) _____.

Das könnten wir mal für unser Team ausprobieren! Ich bin mir sicher, dass jeder bei so einem

Workshop etwas Neues lernen kann.

Viele Grüße

Sonnie

Mein Thema ist ...

10 a **Was passt nicht? Streichen Sie durch.**

1. Informationen: sammeln – recherchieren – suchen – machen
2. Berichte: hören – probieren – lesen – schreiben
3. Projekte: planen – beschreiben – lesen – machen
4. Präsentationen: halten – vorbereiten – sprechen – hören
5. Stichwörter: notieren – sammeln – ordnen – lösen

b **Lesen Sie den Auszug aus einer Präsentation. Wo passen die Ausdrücke und Wendungen?**

A Zum ersten Punkt: ... | B ... ich möchte euch das Projekt „Vorleser" vorstellen. |
C Kurz gesagt: ... | D Ich habe das Projekt gewählt, weil ... | E Zuerst spreche ich über ... |
F Vielen Dank! Gibt es noch Fragen? | G Mir gefällt besonders, dass ...

Hallo, (1) _____. Das ist ein Projekt hier bei uns in der Stadt. (2) _____ es mir gut gefällt und weil ein

Freund von mir mitmacht. Nun, was ist das genau, das Projekt „Vorleser"?

(3) _____ das Projekt selbst, dann spreche ich über die Gründe, warum es das Projekt gibt.

(4) _____ Das Projekt ist ganz einfach: Junge Leute lesen alten Menschen ein- oder zweimal pro Woche

eine Geschichte oder einen Text aus der Zeitung vor. Dann reden sie mit ihnen und erfahren etwas aus

ihrer Welt. (5) _____ beide Seiten sich so besser kennenlernen. Das Projekt gibt es seit fünf Jahren, weil

man die Kommunikation zwischen Jung und Alt verbessern wollte.

(6) _____ „Vorleser" heißt also nicht: Die Jungen unterhalten die Alten. Beide Seiten werden aktiv und

hören der anderen Seite zu. (7) _____

c **Hören Sie zur Kontrolle.**

2.13

11 a **Sehen Sie die Zeichnung an. Was ist bei Toms Präsentation nicht gut? Sammeln Sie zu zweit in
Stichpunkten.**

*Tom spricht
nicht frei, Text
in Präsentation
zu klein, ...*

b **Arbeiten Sie zu zweit und schreiben Sie Tipps für die Situation.**

Tom sollte die Präsentation vorher mehrmals üben. ...

R1 **Arbeiten Sie zu zweit. Wie und wann haben Sie das gelernt?**

Q Ich kann über Lernen sprechen.

	☺☺	☺	☹	☹	KB	ÜB
	☐	☐	☐	☐	2	

R2 **Arbeiten Sie zu zweit. Beschreiben Sie das Problem und geben Sie Tipps.**

A **Problem:**
- Prüfung in 10 Tagen
- schon viel gelernt, aber nicht alles
- nächste Woche: Fußball-Trainingscamp mit dem Verein → Sie sind im Camp und trainieren Fußball, keine Zeit für das Lernen

Tipps:
- weniger ist mehr: nicht alles lernen, aber das Wichtige gut lernen
- in den Pausen etwas Schönes machen: Eis essen, Freunde treffen

B **Tipps:**
- Lernkärtchen schreiben
- Kärtchen mit ins Trainingscamp nehmen, immer ein paar Karten dabei haben und in Pausen lernen

Problem:
- Prüfung in 5 Tagen
- sehr viel Lernstoff
- Lernplan zeigt: Sie müssen jeden Tag 9 Stunden lernen ← am Morgen alles vergessen, immer müde

Q 🖊 Ich kann Lernprobleme beschreiben und Ratschläge geben.

	☺☺	☺	☹	☹	KB	ÜB
	☐	☐	☐	☐	3b–c, 4b–c	5

R3 **Lesen Sie den Text und beantworten Sie die Fragen.**

Cihan, Lehrer: Seit zwei Jahren bin ich mit der Uni fertig und arbeite jetzt an einem Gymnasium. Ich unterrichte fünf Tage in der Woche, meistens von acht bis eins. Der Unterricht macht mir viel Spaß, es ist oft auch lustig in meinen Stunden. Anschließend bereite ich noch die nächsten Stunden vor und bespreche mich mit anderen Lehrern. Ich habe noch wenig Erfahrung, da helfen mir die Besprechungen. Feierabend habe ich so ab 17 Uhr.

1. Wo arbeitet Cihan?
2. Wie sind seine Arbeitszeiten?
3. Mit wem arbeitet er zusammen?
4. Was macht er gern in der Arbeit?

📖 🔊 Ich kann Berichte über den Berufsalltag verstehen.

	☺☺	☺	☹	☹	KB	ÜB
	☐	☐	☐	☐	6b, 7a	6

Außerdem kann ich ...	☺☺	☺	☹	☹	KB	ÜB
📖 ... einen Chat über Lernen verstehen.	☐	☐	☐	☐		1
🖊 ... über Lernen schreiben.	☐	☐	☐	☐		2
Q ... über Prüfungstypen sprechen.	☐	☐	☐	☐		3
🔊📖 ... Lernprobleme verstehen.	☐	☐	☐	☐	3a, 4a	4b–c
📖 ... Texte über das Lernen voneinander verstehen.	☐	☐	☐	☐	9a	9
🔊 ... ein Interview zu einem sozialen Projekt verstehen.	☐	☐	☐	☐	9b–d	
Q ... über ein soziales Projekt berichten.	☐	☐	☐	☐	9e	
🔊 Q ... eine kurze Präsentation verstehen und halten.	☐	☐	☐	☐	10, 11	10

Lernen

die Gitarre, -n

das Klavier, -e

das Instrument, -e *(ein Instrument spielen)*

das Interesse, -n

klug

intelligent

die Bücherei, -en

der Kursleiter, -

der/die Lehrende, -n

der/die Lernende, -n

die Sprechstunde, -n

das Sekretariat, -e

erfahren

neugierig

kompliziert

hart

kapieren

Prüfungen

die Prüferin, -nen

mündlich

schriftlich

die Schrift, -en

die Einführung, -en

der Stoff, -e

die Disziplin (Sg.)

das Stipendium, Stipendien

Ratschläge geben

der Ratschlag, ⁼e

die Beratung, -en

die Förderung, -en

bieten, er bietet, hat geboten

das Feedback, -s

der Trick, -s

der Zeitplan, ⁼e

realistisch

die Energie, -n

lassen *(Lass offene Zeiten in deinem Zeitplan!)*

unternehmen, er unternimmt, hat unternommen

verschieben, er verschiebt, hat verschoben

Berufsalltag

der Arbeitgeber, -

an|stellen

die Vollzeit (Sg.) *(Ich bin in Vollzeit angestellt.)*

freiberuflich

stundenweise

der Auftrag, ⁼e

der PC, -s

die Autorin, -nen

der Babysitter, -

ausländisch *(ausländische Partner)*

die Konferenz, -en

der Workshop, -s

zusammen|arbeiten

pensioniert

die Rente, -n

die Seniorin, -nen

dolmetschen

der Dolmetscher, -

übersetzen

die Übersetzung, -en

begleiten *(Ich begleite gehörlose Menschen.)*

gehörlos

neutral bleiben

kommunizieren

die Kommunikation (Sg.)

anderen helfen

die Aktion, -en

starten

der/die Freiwillige, -n

sorgen _____

der Service, -s _____

reparieren _____

die Reparatur, -en _____

das Werkzeug, -e _____

weg|werfen, er wirft weg, hat weggeworfen _____

gebraucht (*Ich kaufe oft gebrauchte Sachen.*) _____

voneinander (*Wir haben viel voneinander gelernt.*) _____

eine Präsentation halten

eine Präsentation halten _____

vor|tragen, er trägt vor, er hat vorgetragen _____

beachten (*Was soll man beachten?*) _____

die Einleitung, -en _____

die Gliederung, -en _____

der Hauptteil, -e _____

der Inhalt, -e _____

der Punkt, -e _____

der Schluss, ⸚e _____

flüssig _____

die Zuhörerin, -nen _____

andere wichtige Wörter und Wendungen

der/die Angehörige, - _____

das Standesamt, ⸚er _____

das Forum, Foren _____

abonnieren _____

die Mailbox, -en _____

die Mitteilung, -en _____

existieren _____

zurecht|kommen, er kommt zurecht, ist zurechtgekommen _____

beschweren (sich) _____

dabei haben _____

putzen _____

spülen _____

tief _____

fett _____

einzeln _____

erforderlich _____

die Hälfte, -n _____

die Menge, -n _____

die Qualität, -en _____

der Katalog, -e _____

der Prospekt, -e _____

das Herz, -en _____

die Figur, -en _____

das Mineralwasser, - _____

die Zitrone, -n _____

die Portion, -en _____

tagsüber _____

die Mitternacht (Sg.) (*um Mitternacht*) _____

der Wald, ⸚er _____

notwendig _____

prima _____

sowieso _____

übrigens _____

Wichtig für mich:

_____

_____

_____

Ergänzen Sie passende Verben.

1. den Stoff _____

2. einen Ratschlag _____

3. einen Zeitplan _____

4. eine Präsentation _____

Sportlich, sportlich

1 a **Finden Sie die zwölf Sportarten? Markieren Sie.**

S	W	L	T	T	Y	S	L	G	Y	F	E	V
C	I	S	U	R	F	E	N	E	O	O	I	U
H	T	T	L	Y	G	ß	I	U	G	N	U	T
W	A	V	O	L	L	E	Y	B	A	L	L	E
I	I	S	R	E	I	T	E	N	I	S	N	N
M	M	L	A	N	G	L	A	U	F	E	N	N
M	T	A	N	Z	E	N	O	E	N	G	N	I
E	ß	T	A	U	C	H	E	N	L	E	E	S
N	B	I	R	F	U	ß	B	A	L	L	G	O
I	L	E	F	T	J	O	G	G	E	N	V	S

b **Ergänzen Sie die Verben. Sammeln Sie dann je zwei bis drei passende Sportarten.**

gewinnen | sein | ~~tragen~~ | schießen | bewegen | teilnehmen | spielen

1. einen Helm *tragen* _____ : *Ski fahren, Rad fahren, klettern*

2. an einem Wettbewerb _____ : _____

3. eine Medaille _____ : _____

4. auf dem Wasser_____ : _____

5. sich draußen _____ : _____

6. in einer Mannschaft _____ : _____

7. ein Tor _____ : _____

c **Wählen Sie eine Sportart aus 1b und schreiben Sie drei Sätze dazu. Ihr Partner / Ihre Partnerin rät die Sportart.**

Meine Sportart mache ich draußen und ich brauche einen Helm. Bei Schnee mache ich meinen Sport nicht. Ich bin schnell und ich schaffe viele Kilometer in einer Stunde.

2 a Mein Lieblings... Um welches Ding geht es? Ordnen Sie die Fotos zu.

A

1. Meine Lieblingsdinge habe ich schon seit fünf Jahren: Ich habe sie von meiner Mutter zum Geburtstag bekommen. Sie passen mir immer noch. Ich brauche sie für mein Hobby. Ich mache das sehr gerne, weil ich die Lieder toll finde, mich konzentrieren muss und weil ich danach immer gute Laune habe.

   Timo

B

2. Mein Lieblingsding ist immer dabei, wenn ich Sport mache. Schwimmen, reiten, Fitness-Studio, klettern, langlaufen – ich habe es dabei und ich muss es sehr oft waschen. Es sieht nicht mehr neu aus und ist auch schon ein bisschen kaputt, aber ich kann mich von meinem Lieblingsding nicht trennen.

   Marcin

C

3. Mein Lieblingsding mag es gerne kalt. Wenn ich im Winter Zeit habe, fahre ich nach Garmisch oder ins Zillertal und dann kann es losgehen. Das ist perfekt für mich, weil ich im Beruf sehr viel am Schreibtisch sitzen muss. Da brauche ich die Bewegung und die frische Luft in den Bergen. Im Sommer bin ich gern mit meinem Mountainbike unterwegs. Das Mountainbike ist mein zweites Lieblingsding.

   Sophie

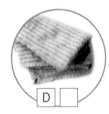

D

4. Mein Lieblingsding hilft mir immer, wenn ich traurig, verliebt, wütend oder fröhlich bin! Ich fahre nie ohne mein Lieblingsding in Urlaub. Auf einer Hütte in den Bergen, in einem Hostel in einer Stadt oder an einem Strand am Meer: Mit meinem Lieblingsding bin ich nie alleine. Oft lerne ich viele Leute kennen und wir singen zusammen und haben Spaß.

   Pino

b Welche Aussage passt zu wem? Notieren Sie die Namen.

1. Ich reise gerne und bin gerne mit anderen Menschen zusammen. _____

2. Ich finde Sport wichtig und mache viel Sport, drinnen und draußen. _____

3. Bewegung mit Musik, das ist meine Welt. _____

4. Ich bin am liebsten in den Bergen. _____

→•← **c Ihr Lieblingsding. Wählen Sie.**

A Ergänzen Sie die Sätze.

Mein/e _____

brauche ich, wenn _____.

Ich habe ihn/es/sie vor _____ Jahren

_____

_____. Ich mag ihn/es/sie

so gerne, weil _____

_____.

B Scheiben Sie einen kurzen Text wie in 2a.

_____

_____

_____

_____

_____

_____

_____

Ich bin Fan von ...

3 **Welche Reaktion passt? Kreuzen Sie an.**

1. Glaubst du, unser Team gewinnt?

a Mist!
b Ich habe ein gutes Gefühl.

2. Wow, du hast den ersten Platz gemacht!

a Ich glaub' es nicht, das ist super!
b Hoffentlich schaffe ich es!

3. Ich habe meinen Helm verloren.

a Das war großartig!
b Echt blöd!

4. Mann, die spielen so schlecht!

a Unglaublich – einfach genial!
b Das ist wirklich eine Katastrophe.

5. Geschafft! Wir sind ganz oben auf dem Berg.

a Das ist echt schade.
b Wahnsinn!

4 **Lesen Sie die Ticker-Nachrichten und ergänzen Sie die Kommentare.**

Sportnachrichten   Ballspiele   ✕

all++++Liveticker++++Fußball++++Liv   **Fußball**   **Handball**   **Basketball**

+++   Los geht's! Ein Tipp? Viele sagen: Das Spiel gegen Frankreich wird schwer, aber Deutschland gewinnt 2:1.

Allez!!   Heu__ __ gewinnt Frankr__ __ __ __!

+++ 12. Min.   **Tor 0:1 |** Es ist passiert: Das erste Tor! Ein schöner Ball von rechts, Griezman ist schneller als Süle. Keine Chance für Tormann Neuer!

Simball   Kopf hoch! No__ __ si__ __ 78 Minuten Ze__ __.

Allez!!   Oh, wie i__ __ das schön. Wa__ __sinn!

+++ 14. Min.   Riesenchance für Gnabry. Aber der Ball geht neben das Tor. So ein Pech!

SaSo   Der schie__ __ heute bestimmt ein T__ __! Ganz si__ __ __ __! Gnabry macht es!

+++ 45. + 1   **Halbzeit |** Pause. Ein gutes Spiel. Für die deutsche Mannschaft ist noch alles möglich! Sie müssen schneller spielen! Brandt kommt für Sané ins Spiel, Goretzka für Emre Can.

Fan04   Feh__ __ __ vom Trai__ __ __ __! Sané wa__ gut, i__ __ viel be__ __ __ __ als Brandt.

+++ 51. Min.   Sie spielen jetzt wirklich schneller. Besonders die Franzosen. Leider!

Tor 1:1 | Herrliche Aktion: Hector – Kroos – Gnabry … und der macht den Ball rein!

Camacho   Gnabry!!! E__ __ __ __ch __ __ __ial!

+++ 85. Min.   Das Tor kommt spät. Aber vielleicht geht noch was? Wir können noch gewinnen.

+++ 90. + 2   Es ist vorbei. 1:1, ein faires Spiel. Keine Mannschaft hat den Sieg verdient.

Allez!!   Scha__ __, Frankreich hatte heu__ __ kein Gl__ __ __, aber so gute Chancen!

Fan04   Ke__ __ Sieg, w__ __ __ Sané ni__ __ __ __ bis zum Schluss gesp__ __ __ __ hat.

5 a Sportfans. Was passt? Ordnen Sie zu.

1. Wir sind Berg-Fans, _____

2. Gestern war es sehr kalt, _____

3. Ich mache am liebsten im Team Sport, _____

4. Wir haben viel trainiert, _____

A trotzdem haben wir eine Tour gemacht.

B trotzdem haben wir verloren.

C deshalb fahren wir oft Mountainbike.

D deshalb bin ich im Volleyball-Verein.

b Ergänzen Sie *deshalb* oder *trotzdem*.

1. Viele Leute sind gern in der Natur, _deshalb_ machen sie draußen Sport.

2. Manche Sportarten sind ziemlich teuer, _____ sind sie sehr beliebt.

3. Ich sollte mich mehr bewegen, _____ gehe ich nicht oft zum Sport.

4. Viele Leute sind sehr bequem, _____ sehen sie Sport lieber im Fernsehen an.

5. Joggen kann man überall, _____ machen das viele Leute.

c Setzen Sie die Sätze fort. Verwenden Sie *deshalb* oder *trotzdem*.

1. Clemens ist im Winter gern in der Natur, _deshalb geht er gern langlaufen._
   er / gern / langlaufen gehen / .

2. Ich habe Angst vor dem Tauchen, _____
   ich / es / ausprobieren / möchten / .

3. Viele Leute haben Stress im Beruf, _____
   sie / Yoga / machen / .

4. Eva ist schon oft vom Pferd gefallen, _____
   sie / Reiten / toll / finden / .

5. Ines hat fünf Tanzkurse gemacht, _____
   sie / sehr gut / tanzen / können / .

d Welche Fortsetzung passt? Kreuzen Sie an.

1. Dennis Schröder hat viele Fans,
   - [a] weil er ein guter Basketballspieler ist.
   - [b] deshalb ist er ein guter Basketballspieler.

2. Alain sieht alle Spiele von seiner Mannschaft an,
   - [a] trotzdem gewinnt die Mannschaft nicht oft.
   - [b] aber leider gewinnt die Mannschaft nicht oft.

3. Alexander Zverev ist ein berühmter Tennisspieler,
   - [a] weil er schon viele Titel gewonnen hat.
   - [b] trotzdem hat er schon viele Titel gewonnen.

4. Gesa Felicitas Krause ist bekannt,
   - [a] denn sie läuft die 3000 Meter sehr schnell.
   - [b] deshalb läuft sie die 3000 Meter sehr schnell.

5. Malaika Mihambo hat schon eine Medaille im Weitsprung gewonnen,
   - [a] trotzdem trainiert sie jeden Tag.
   - [b] deshalb trainiert sie jeden Tag.

6 Lesen Sie den Text. Welche Aussage ist richtig? Kreuzen Sie an.

Was macht eigentlich …?

Per Mertesacker hat nach seiner aktiven Karriere als Fußballprofi eine Stiftung gegründet. Mit der *Per Mertesacker Stiftung* bietet er Kindern und Jugendlichen in Hannover Hilfe an. Die Stiftung begleitet Jugendliche nicht nur kurzfristig. Sie können zehn Jahre lang am Projekt teilnehmen. Ziel ist, dass die Kinder durch Fußball fit und gesund bleiben und gemeinsam in Teams zusammenspielen. Außerdem bietet die Stiftung Sprachkurse an und unterstützt Kinder und Jugendliche bei Lernproblemen in der Schule oder beim Einstieg ins Berufsleben.

Die Österreicherin Gerlinde Kaltenbrunner klettert auf die höchsten Berge der Welt. Sie war auf allen über 8.000 Meter hohen Bergen, insgesamt 14. Es gibt mehrere Dokumentarfilme über ihre Touren. Was macht die Profi-Bergsteigerin heute? Sie schreibt Bücher, hält Vorträge über ihre Reisen und gibt Seminare. Das Thema der Seminare ist „Gesund leben und Yoga". Außerdem hilft sie in Nepal beim Bau von Schulen und Krankenhäusern. Und wenn sie Zeit hat, geht sie in die Berge.

Markus Wasmeier war einer der besten Skirennläufer Deutschlands. Er lebt in Bayern und hat am Schliersee 2007 ein Museum mit alten Häusern aus Bayern eröffnet. Auf etwa 60.000 Quadratmetern stehen zehn alte Bauernhäuser. Man kann in die Häuser gehen und alles genau ansehen. So lernt man, wie die Menschen früher gelebt und gearbeitet haben. Oft sind auch Handwerker im Museum. Sie zeigen, wie man früher zum Beispiel Töpfe oder Teller gemacht hat.

1. Die Per Mertesacker Stiftung …
   - [a] bildet Kinder und Jugendliche zu Profispielern aus.
   - [b] will Kindern und Jugendlichen mit Sport und Bildung helfen.
   - [c] betreut Jugendliche für kurze Zeit.

2. Gerlinde Kaltenbrunner …
   - [a] ist Bergsteigerin und macht Filme.
   - [b] gibt Seminare für Bergsteiger.
   - [c] hilft Menschen in Nepal.

3. Im Markus Wasmeier Museum …
   - [a] sieht man moderne Häuser aus Bayern.
   - [b] kann man die Häuser besichtigen.
   - [c] müssen Handwerker viel reparieren.

4. Dieser Text informiert über …
   - [a] verschiedene Sportarten.
   - [b] das Leben und die Arbeit von bekannten Sportlern und Sportlerinnen.
   - [c] Chancen durch den Sport.

◀)🗨 **7 a Hören Sie und ergänzen Sie *r* oder *l*.**

2.14

1. __and
2. __adtour
3. __eben
4. __ernen
5. __eise
6. gefa__en
7. a__e
8. Padde__
9. __ang__aufen
10. be__ühmt
11. spie__en
12. Be__uf

b Sprechen Sie die Wörter laut.

Auf zum Sport!

8 a **Ordnen Sie die Nachrichten von Amelie und Selina in die richtige Reihenfolge.**

> Ja, da kann ich auch. Wir könnten ins Fitness-Studio gehen. Was hältst du davon?

A ☐

> Hey Selina, am Freitag kann ich leider nicht. Geht auch Donnerstag?

B ☐

> Hallo Amelie, wie geht's? Treffen wir uns am Freitag? LG Selina

C ☐

> Gute Idee, das machen wir! Bis Donnerstag!

D ☐

> Wollen wir nicht lieber schwimmen gehen? Das Wetter ist so schön!

E ☐

b **Hören Sie das Gespräch. Sind die Sätze richtig oder falsch? Kreuzen Sie an.**

	richtig	falsch
1. Selina muss am Donnerstag arbeiten.	☐	☐
2. Amelie hat am Samstagvormittag Zeit.	☐	☐
3. Amelie und Selina gehen am Samstag ins Fitness-Studio.	☐	☐
4. Selina holt Amelie um zwei Uhr ab.	☐	☐
5. Sie fahren mit der Straßenbahn.	☐	☐

2.15

9 a **Vorschläge. Was gehört zusammen? Ordnen Sie zu.**

1. Darf ich etwas _____   A einen Ausflug machen.

2. Ich habe da _____   B vorschlagen?

3. Am Samstag kann _____   C am Samstag nicht.

4. Das passt _____   D eine Idee: …

5. Leider geht es _____   E ich leider nicht.

6. Wir könnten am Wochenende _____   F mir sehr gut.

b **Ergänzen Sie das Gespräch.**

Super, das ist eine gute Idee. | Wollen wir nicht lieber eine Radtour machen? |
Ja, da kann ich. | Leider geht es am Dienstag nicht.

1. ○ Sollen wir zusammen joggen gehen?

 ● Ich weiß nicht. _____

2. ○ Ja, das ist auch gut. Hast du am Dienstag Zeit?

 ● _____

3. ○ Schade, kannst du am Mittwoch?

 ● _____

4. ○ Wir können zum See fahren und dort ein Picknick machen.

 ● _____

c **Hören Sie das Gespräch aus 9b und reagieren Sie.**

2.16

d Lesen Sie die beiden Nachrichten von Nina. Schreiben Sie die Antwort auf die erste Nachricht. Die zweite Nachricht von Nina muss zu Ihrer Antwort passen.

> Hallo …, ⊠
>
> wir könnten am Samstag reiten gehen. Hast du Lust und Zeit? Oder hast du einen anderen Vorschlag?
>
> Viele Grüße
> Nina

> ⊠

> Ja, am Sonntag kann ich auch, aber erst ab vier Uhr. Wir können gern auch Tennis spielen, ⊠
> das ist eine gute Idee. Das haben wir schon lange nicht mehr gemacht. ☺
>
> Bis dann
> Nina

10 a **Was passiert hier? Schreiben Sie Sätze zu den Bildern.**

leiht | zeigt | erklärt | bringt

die Verkäuferin | der Lehrer | die Kellnerin | der Trainer | dem Gast | den Männern | der Kundin | seiner Schülerin | die Übung | die Sportschuhe | den Orangensaft | das Buch

1. _____
   _____
   _____
   _____

2. _____
   _____
   _____

3. _____
   _____
   _____

4. _____
   _____
   _____

b **Schreiben Sie sechs Sätze. Achten Sie auf Dativ und Akkusativ.**

Wer?		Wem?	Was?
Amelie	zeigen	die Touristen	das Restaurant
Herr Weber	geben	ihre Freundin	die Stadt
der Lehrer	leihen	die Leute	das Fahrrad
die Trainerin	schenken	die Studierenden	eine Nachricht
Frau Korkmaz	empfehlen	ein Mann	ein Kaffee
das Kind	bringen	eine Frau	die Grammatik
Louis	schicken	die Familie	die Sportschuhe
ich	erklären	meine Eltern	der Helm

Amelie schenkt ihrer Freundin die Sportschuhe.

c **Schreiben Sie Sätze. Beginnen Sie mit den markierten Wörtern.**

1. den Weg zum Stadion / können / erklären / euch / <u>wir</u> / .
   Wir können euch den Weg zum Stadion erklären.

2. du / leihen / mir / <u>kannst</u> / deinen Helm / ?

3. <u>der Verkäufer</u> / Tickets für das Fußballspiel / geben / den Leuten / .

4. empfehlen / ich / kann / Ihnen / <u>dieses Fitness-Studio</u> / .

5. die Fotos vom Ausflug / ich / <u>soll</u> / dir / zeigen / ?

> **!**
> Lernen Sie Verben immer mit Kasus und einem Beispielsatz: *empfehlen* (+ Dat. + Akk.) – *Er empfiehlt **der Kundin ein Produkt**.*

11 a **Wo passen die Pronomen? Markieren Sie.**

1. Selina braucht neue Sportsachen. Wir schenken eine Sporthose zum Geburtstag. ihr
2. Zwei Freunde wollten Informationen zum Hochseilgarten. Ich habe sie gegeben. ihnen
3. Wir haben die Regeln nicht verstanden. Der Trainer hat uns noch mal erklärt. sie
4. Ich wollte das Foto sehen. Tim hat mir geschickt. es
5. Der Tennisschläger ist super. Meine Eltern haben ihn geschenkt. mir

b **Schon gemacht! Wählen Sie.**

A **Ergänzen Sie die Pronomen. Die Wörter unten helfen.**

B **Ergänzen Sie die Pronomen.**

1. ○ Du musst Nelli die Bücher bringen.
   ● Ich habe *sie ihr* schon gebracht.

2. ○ Kannst du Peter die Nummer von Amelie schicken?
   ● Ich habe _____ schon geschickt.

3. ○ Hast du deinen Freunden den Weg erklärt?
   ● Ja, ich habe _____ schon erklärt.

4. ○ Bringst du dem Trainer den Helm zurück?
   ● Ich habe _____ schon gestern zurückgegeben.

5. ○ Du wolltest Selina doch das Buch schenken.
   ● Ich habe _____ schon geschenkt.

sie ihm | ihn ihm | es ihr | ihn ihnen | sie ihm

c **Schreiben Sie fünf Sätze wie im Beispiel. Zerschneiden Sie die Sätze und vermischen Sie die Satzteile von jedem Satz. Geben Sie die Satzteile Ihrem Partner / Ihrer Partnerin. Er/Sie ordnet sie zu einem korrekten Satz.**

| Hast | du | ihm | das Geld | geliehen? |

Ein Ort für Sport

12 a Hören Sie den Podcast. In welcher Reihenfolge werden die Orte genannt? Nummerieren Sie.

2.17

A ☐
Informationsstelle

B ☐
Steinreich

C ☐
Amselsee

D ☐
Weg durch das enge Tal

b Hören Sie noch einmal und ergänzen Sie die Zusammenfassung.

120 Höhenmeter | Boote leihen | einem kleinen See | einem Miniatur-Dorf |
ausruhen und Eis essen | Nationalpark Sächsische Schweiz

In dem Bericht geht es um eine Wanderung im (1) _____

_____. Die Tour beginnt an (2) _____ und ist

auch schön für Familien mit Kindern. Am See kann man (3) _____.

Start der Wanderung ist am Ende des Sees. Nach einer Weile kommt eine Informationsstelle zum

Nationalpark. Hier kann man sich (4) _____.

Danach geht es (5) _____ nach oben und man hat

einen schönen Blick über die Sächsische Schweiz. Zum Schluss kommt man zum Steinreich,

(6) _____ aus Stein und Holz.

c Und Sie? Berichten Sie von einem Ausflug. Schreiben Sie einen kurzen Text.

13 Wählen Sie.

2.18

A Hören Sie noch einmal den Bericht über St. Peter-Ording aus dem Kursbuch. Was passt zusammen? Ordnen Sie zu.

1. An der Nordsee gibt es _____

2. Das Symbol von St. Peter-Ording ist _____

3. Die Luft in St. Peter-Ording ist _____

4. St. Peter-Ording hat 4.000 _____

5. Jedes Jahr kommen circa 400.000 _____

6. Wenn der Wind gut ist, können die Kitesurfer _____

7. Am Strand und im Ort kann man auch gut _____

B Was passt zusammen? Ordnen Sie zu. Hören Sie dann den Bericht über St. Peter-Ording aus dem Kursbuch zur Kontrolle.

A sehr gesund.

B über das Wasser fliegen.

C ein Leuchtturm.

D mit dem Fahrrad fahren.

E Einwohner.

F viele Strände, Wasser und oft Wind.

G Touristen.

R1 **Wie war das Spiel? Wählen Sie eine Situation und schreiben Sie eine Nachricht an einen Freund / eine Freundin.**

*Lieber Marco,
heute war ich im Stadion.
Das war großartig! ...*

✐ Ich kann Begeisterung, Hoffnung und Enttäuschung ausdrücken.　☺☺ ☺ 😐 ☹　KB 3d, 4　ÜB 3–4

R2 **Ergänzen Sie die Sätze.**

1. Jakob mag Volleyball, deshalb _____.

2. Gestern war ich krank, trotzdem _____.

3. Sport ist gut für die Gesundheit, deshalb _____.

4. Am Wochenende hat es geregnet, trotzdem _____.

🔍✐ Ich kann Folgen und Widersprüche ausdrücken.　☺☺ ☺ 😐 ☹　KB 5b, c　ÜB 5

R3 **Arbeiten Sie zu zweit. Verabreden Sie sich für das Wochenende. Was wollen Sie zusammen unternehmen? Wann? Machen Sie Vorschläge und einigen Sie sich.**

✐🔍 Ich kann Vorschläge machen und mich verabreden.　☺☺ ☺ 😐 ☹　KB 9　ÜB 9

Außerdem kann ich ...	☺☺	☺	😐	☹	KB	ÜB
🔊 ... Umfragen zum Thema „Sport" verstehen.	☐	☐	☐	☐	1b	
🔍 ... über Sport sprechen.	☐	☐	☐	☐	2	1
📖✐ ... Informationen über Lieblingsdinge verstehen und schreiben.	☐	☐	☐	☐		2
📖✐ ... Fan-Kommentare verstehen und schreiben.	☐	☐	☐	☐	3a–c, 5a, 6	3, 4
📖 ... einen Zeitungstext verstehen.	☐	☐	☐	☐		6
🔊 ... eine Verabredung verstehen.	☐	☐	☐	☐	8	8
📖 ... schwierige Texte verstehen.	☐	☐	☐	☐	12	
🔊 ... einen Bericht über einen Ort oder eine Wanderung verstehen.	☐	☐	☐	☐	13a	12a–b
🔍 ... eine Sehenswürdigkeit vorstellen.	☐	☐	☐	☐	13c	

Sport machen

die Sportart, -en _____

sich bewegen _____

das Kajak, -s (*Kajak fahren*) _____

das Kitesurfen (Sg.) _____

surfen _____

tauchen _____

lang|laufen, er läuft lang,
ist langgelaufen _____

Volleyball spielen _____

das Tor, -e _____

schießen, er schießt,
hat geschossen (*ein Tor
schießen*) _____

werfen, er wirft, hat
geworfen (*Wirf den Ball zu
mir!*) _____

mit|spielen _____

das Rad, ⸚er (*Rad fahren*) _____

die Radtour, -en _____

reiten, er reitet, ist geritten _____

Yoga machen _____

der Kletterer, - _____

der Kletterin, -nen _____

die Wanderung, -en (*eine
Wanderung machen*) _____

die Strecke, -n _____

die Kondition (Sg.) (*Ich
muss mehr Sport machen,
ich habe nicht genug
Kondition.*) _____

die Gesundheit (Sg.) _____

entspannen (sich) (*Beim
Sport kann ich mich gut
entspannen.*) _____

der Wettbewerb, -e _____

Sportgeräte

der Fußballschuh, -e _____

der Klettergurt, -e _____

der Helm, -e _____

die Matte, -n _____

das Mountainbike, -s _____

der Schläger, - _____

der Skistock, ⸚e _____

das Paddel, - _____

das Surfbrett, -er _____

die Taucherbrille, -n _____

Vereine und Fans

der Sportverein, -e (*Ich bin
im Sportverein.*) _____

die Mannschaft, -en _____

der Fußallstar, -s _____

der Fanartikel, - (*Mein Sohn
kauft viele Fanartikel von
seinem Lieblingsverein.*) _____

treu (*Sie ist ein treuer Fan.*) _____

benehmen (sich), er
benimmt, hat benommen
(*Er benimmt sich wie ein
Fußballstar.*) _____

das Vorbild, -er _____

sympathisch _____

großartig _____

genial _____

unglaublich (*Das Spiel war
unglaublich gut!*) _____

der Wahnsinn (Sg.)
(*Wahnsinn! So ein tolles
Spiel.*) _____

Das war wahnsinnig gut! _____

die Hoffnung, -en _____

bestimmt (*Das nächste Mal
klappt es bestimmt.*) _____

der Erfolg, -e _____

die Enttäuschung, -en _____

verlieren, er verliert, hat
verloren (*Wir haben das
Spiel verloren.*) _____

die Katastrophe, -n (*Das ist
eine Katastrophe!*) _____

Vorschläge machen

Was denkst du, sollen
wir …? _____

Wir könnten … _____

einverstanden sein _____

passen (*So machen wir es. Das passt mir gut.*) _____

unterwegs in D-A-CH

die Anreise, -n _____

der Einwohner, - _____

die Einwohnerin, -nen _____

entfernt (*Salzburg ist nur 40 km entfernt.*) _____

kulturell (*Das kulturelle Angebot ist groß.*) _____

faszinierend _____

das Gasthaus, ̈-er _____

hinunter _____

das Gebiet, -e _____

die Umgebung, -en _____

der Nationalpark, -s _____

das Tal, ̈-er _____

die Höhle, -n _____

der Führer, - (*Sie wandern mit einem Führer durch die Höhle.*) _____

die Führerin, -nen _____

die Temperatur, -en (*Die Temperatur liegt unter null Grad.*) _____

der Nebel, - _____

stark (*Heute regnet es stark.*) _____

trocken (*Heute bleibt es trocken.*) _____

andere wichtige Wörter und Wendungen

außer (+ D.) _____

aus|fallen, er fällt aus, ist ausgefallen (*Das Spiel fällt leider aus.*) _____

deshalb _____

trotzdem _____

basteln _____

die Kette, -n _____

das Material, -ien _____

zurück|geben, er gibt zurück, hat zurückgegeben _____

bewachen _____

der Staat, -en _____

der Kanton, -e _____

der Cousin, -s _____

die Cousine, -n _____

die Sendung, -en _____

eine Antwort geben _____

der Hinweis, -e _____

quer _____

übermorgen _____

neulich _____

Wichtig für mich:

_____

_____

Welchen Sport macht man draußen? Notieren Sie acht Sportarten.

_____

_____

Was passt zusammen? Ordnen Sie zu.

langlaufen | schießen | klettern | verlieren | entspannen | tragen

1. einen Helm _____

2. sich beim Sport _____

3. im Winter _____

4. ein Tor _____

5. in den Bergen _____

6. ein Spiel _____

Prüfungstraining

Hören: Teil 3 – Ein Gespräch verstehen

P
SD

1 **Machen Sie den Prüfungsteil *telc Deutsch A2*, Hören, Teil 3.**

Teil 3 Sie hören ein Gespräch.
Zu diesem Gespräch gibt es fünf Aufgaben.
Ordnen Sie zu und notieren Sie den Buchstaben.
Sie hören den Text **zweimal**.

Was macht die Reisegruppe wann?

Beispiel

🔊
2.19

0 Sonntag   Lösung: c *Stadtspaziergang*

🔊
2.20

	0	1	2	3	4	5
Tag	Sonntag	Montag	Dienstag	Mittwoch	Donnerstag	Freitag
Was?	*c*					

a Kunstausstellung ansehen   f Fahrt nach Potsdam
b Stadtmuseum besuchen   g Theaterbesuch
c Stadtspaziergang   h auf den Fernsehturm fahren
d Tour mit dem Fahrrad   i Ausflug zum Wannsee
e einkaufen in der Stadt

Sprechen: Teil 2 – Von sich erzählen

P
GZ

2 **Machen Sie den Prüfungsteil *Goethe-Zertifikat A2*, Sprechen, Teil 2.**

Teil 2 Sie bekommen eine Karte und erzählen etwas über Ihr Leben.

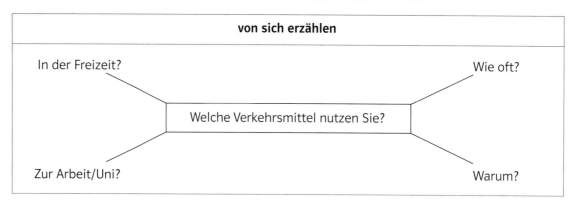

Schreiben: Teil 2 – Eine kurze Mitteilung schreiben

3 Machen Sie den Prüfungsteil *telc Deutsch A2*, Schreiben, Teil 2.

Teil 2   Sie bekommen eine Nachricht von Mona. Sie kennen Mona aus dem Deutschkurs.
Sie schreibt, dass sie am 18. Mai ihren Geburtstag feiert. Mona lädt Sie ein und fragt,
ob Sie kommen.
Hier finden Sie vier Punkte. Wählen Sie drei aus.
Schreiben Sie zu jedem dieser drei Punkte ein bis zwei Sätze (circa 40 Wörter).
Vergessen Sie nicht den passenden Anfang und den Gruß am Schluss.

jemanden mitbringen	Ort und Wegbeschreibung
Uhrzeit	Geschenk

Sprechen: Teil 2 – Ein Alltagsgespräch führen

4 Machen Sie den Prüfungsteil *telc Deutsch A2*, Sprechen, Teil 2.

Teil 2   Ein Alltagsgespräch führen. Sprechen Sie mit Ihrem Partner / Ihrer Partnerin.

Sprechen Teil 2 Thema: **Freizeit**	Sprechen Teil 2 Thema: **Freizeit**
Was …?	**Mit wem …?**
Sprechen Teil 2 Thema: **Freizeit**	Sprechen Teil 2 Thema: **Freizeit**
Wohin …?	**Wie oft …?**
Sprechen Teil 2 Thema: **Freizeit**	Sprechen Teil 2 Thema: **Freizeit**
Wann …?	**Wo …?**
Sprechen Teil 2 Thema: **Freizeit**	Sprechen Teil 2 Thema: **Freizeit**
…?	**…?**

Lesen: Teil 4 – Anzeigen verstehen

P
GZ

5   Machen Sie den Prüfungsteil *Goethe-Zertifikat A2*, **Lesen, Teil 4.**

Teil 4   Sechs Personen suchen im Internet nach Sport-Angeboten. Lesen Sie die Aufgaben 1 bis 5 und die Anzeigen [a] bis [f]. Welche Anzeige passt zu welcher Person? Für eine Aufgabe gibt es keine Lösung. Markieren Sie so [X].
Die Anzeige aus dem Beispiel können Sie nicht mehr wählen.

Beispiel

0   Miriam mag Schwimmen und geht gern ins Fitness-Studio.   [c]

1   Ben joggt regelmäßig, möchte aber nicht allein laufen.   ☐

2   Arne sucht einen Tanzkurs für sich und seine Frau.   ☐

3   Markus ist sehr sportlich und möchte gern jeden Tag ins Fitness-Studio gehen.   ☐

4   Lena möchte in der Gruppe Sport machen, hat aber nur am Wochenende Zeit.   ☐

5   Anna möchte Sport machen, hat aber keinen Babysitter für ihre Kinder.   ☐

[a]
| www.sportlich.de | ✕ |

Wir bleiben fit und gesund!
Voll im Beruf und unter der Woche nie Zeit für Sport? Das kennen viele! Wir haben die Lösung: Wir treffen uns immer am Samstag und/oder Sonntag und machen Radtouren, gehen schwimmen oder machen Gymnastik. Lust bekommen? Dann schreib uns: nilskoeke@sportlich.de

[b]
| www.sportfuerkleine.de | ✕ |

Bewegung macht Spaß!
Informieren Sie sich über unser Programm. Wir bieten Sportkurse für Kinder: vormittags, nachmittags und am Wochenende. In unseren Tanz- und Bewegungskursen lernen die ganz Kleinen den Spaß an der Bewegung kennen. Mehr Informationen finden Sie unter www.sportfuerkleine.de

[c]
| www.sportimwasser.de | ✕ |

Alles wie neu!
Wir öffnen nach der Renovierung unser Schwimmbad wieder. Kommen Sie am besten noch heute vorbei! Nach dem Schwimmen können Sie unser neues Fitness-Studio besuchen (Öffnungszeiten: Mo–Fr 8:00–18:00 Uhr). Wir bieten auch Wassergymnastik (immer Dienstag und Donnerstag).

[d]
Gymnastik mit Lora   ✕
Personaltrainerin sucht neue Kunden: Zu meinem Programm gehört Sport im Park oder bei Ihnen zu Hause – immer flexibel und günstig! Ideal für alle Eltern: Im Park können Babys im Kinderwagen dabei sein und zu Hause die Kinder in ihrem Zimmer spielen oder mitmachen. Rufen Sie mich an: 0167-8414513412

[e]
| www.machdichfit.net | ✕ |

Mach dich fit!
Neues Studio im Zentrum mit modernen Geräten. Bei uns kannst du immer trainieren: Wir haben 24 Stunden und sieben Tage in der Woche geöffnet. Zur Eröffnung gibt es besonders günstige Angebote. Komm vorbei oder informiere dich unter www.machdichfit.net

[f]
Zusammen macht es mehr Spaß!   ✕
Wir sind eine Laufgruppe von fünf Personen und suchen noch Mitglieder! Interesse? Dann schreib uns eine Nachricht: 0177-9104239502. Wir laufen zwei- bis dreimal pro Woche zusammen (Mo, Mi, Fr). Wie oft du dabei sein willst, entscheidest du.

Hören: Teil 3 – Kurze Gespräche verstehen

P
GZ

6 **Machen Sie den Prüfungsteil *Goethe-Zertifikat A2*, Hören, Teil 3.**

Teil 3   Sie hören fünf kurze Gespräche. Sie hören jeden Text einmal.
Wählen Sie für die Aufgaben 1 bis 5 die richtige Lösung ⓐ, ⓑ oder ⓒ.

1 Was hat der Mann am Wochenende gemacht?
2.21

ⓐ    ⓑ    ⓒ

2 Wann kann der Mann am besten lernen?
2.22

ⓐ    ⓑ    ⓒ

3 Welchen Sport mag die Frau?
2.23

ⓐ    ⓑ    ⓒ

4 Welches Verkehrsmittel nehmen die Freunde?
2.24

ⓐ   ⓑ    ⓒ

5 Was braucht die Frau noch?
2.25

ⓐ    ⓑ    ⓒ

Zusammen leben

1 a **Was ist wo? Notieren Sie.**

das Bad _7_

das Wohnzimmer _____

das Schlafzimmer _____

der Keller _____

die Küche _____

die Garage _____

der Flur _____

das Arbeitszimmer _____

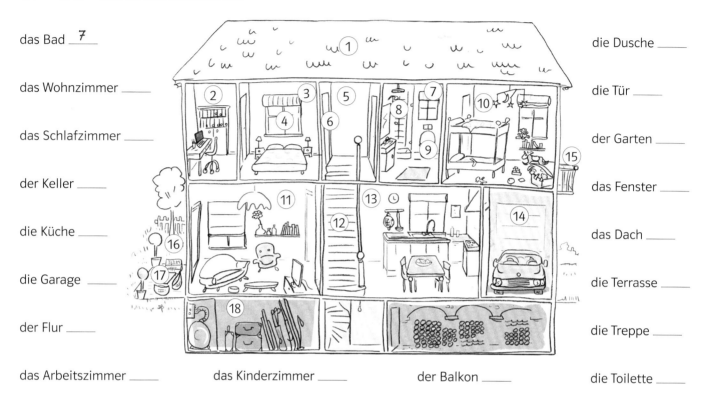

die Dusche _____

die Tür _____

der Garten _____

das Fenster _____

das Dach _____

die Terrasse _____

die Treppe _____

das Kinderzimmer _____   der Balkon _____   die Toilette _____

b **So wohne ich. Ergänzen Sie.**

B̲a̲u̲e̲r̲n̲h̲o̲f̲ | Dorf | Einwohner | Gebäude | Insel | Nachbarn | Quadratmeter | Räume

1. Wir leben auf dem Land und haben viele Tiere. Das Leben auf dem _Bauernhof_
   bedeutet viel Arbeit, aber es ist toll.

2. In unserem Haus gibt es über 100 Wohnungen. Das _____ ist sehr groß. Die meisten Leute
   sehe ich fast nie. Komisch, wenn man seine _____ nicht kennt.

3. In meiner Stadt gibt es 4 Millionen _____. Es gibt Kinos, Restaurants, Theater
   und vieles mehr.

4. Zum Einkaufen fahren wir mit dem Boot. Auf unserer kleinen _____ gibt es
   keinen Supermarkt.

5. Unser Haus ist alt und groß. Wir haben hohe _____ und viel Platz. Das ist
   besonders für die Kinder schön.

6. Ich möchte nicht in der Stadt leben. In unserem _____ wohnen nicht viele
   Leute. Jeder kennt jeden. Das finde ich gut.

7. Meine Wohnung ist nicht groß, sie hat nur 38 _____, aber mir gefällt das.

2 a   Lesen Sie den Text. Was finden die Personen gut, was nicht so gut? Markieren Sie mit zwei Farben.

Wohnträume

Manche wohnen in der Stadt und finden das Leben auf dem Land besser. Andere leben in der Natur und vermissen das Stadtleben mit Kino, Theater und Kultur. Trotzdem sind viele mit ihrer Wohnsituation zufrieden. Aber lesen Sie selbst:

Henry Fichtner   Uns gefällt das Leben am Stadtrand. Wir haben einen Garten und die Kinder können mit ihren Freunden draußen spielen. Wenn das Wetter gut ist, können wir auch auf der Terrasse essen. Hier leben viele Familien. Schön ist auch, dass wir einige Nachbarn gut kennen. Im Sommer grillen wir auch mal zusammen. Ein Nachteil ist, dass ich im Zentrum arbeite und jeden Tag 45 Minuten fahren muss. Wenn die Kinder größer sind, müssen sie leider auch ziemlich weit zur Schule fahren.

Anna Paulsen   Ich lebe gern auf dem Land. In unserem Dorf ist es sehr ruhig und ich mag das. Den Stress in der Stadt brauche ich nicht. Leider wohnen meine Kinder in der Stadt, 80 Kilometer entfernt. Jetzt sehen wir uns nicht mehr so oft, das ist schade. Und wenn ich mal ins Kino gehen will, dann muss ich fast eine Stunde fahren. Aber die Natur ist wichtig für mich und auf dem Land sind alle Jahreszeiten schön.

Jerôme Ziegler   Ich wohne mitten im Zentrum. Das ist toll, ich kann alles zu Fuß machen oder mit dem Fahrrad. Die Mieten sind hier natürlich viel höher als auf dem Land. Manchmal stört es mich auch, dass es viel Verkehr gibt und es so laut ist. Wichtig ist mir aber, dass ich keinen weiten Weg zur Arbeit habe. Manche Leute denken, dass man in der Stadt nur seine Freunde kennt. Aber das stimmt nicht, ich kenne meine Nachbarn ganz gut. Trotzdem weiß nicht jeder gleich alles über mich wie im Dorf.

b   Lesen Sie den Text noch einmal. Sind die Sätze richtig oder falsch? Kreuzen Sie an.

		richtig	falsch
Am Stadtrand:	1. Henry Fichtner wohnt gern am Stadtrand.	☐	☐
	2. Man weiß nicht viel über die Nachbarn.	☐	☐
	3. Henry Fichtners Weg zur Arbeit dauert nicht lang.	☐	☐
Auf dem Dorf:	4. Auf dem Dorf gibt es nicht so viel Stress wie in der Stadt.	☐	☐
	5. Die Kinder von Anna Paulsen wohnen auch auf dem Land.	☐	☐
	6. Anna Paulsen mag die Natur.	☐	☐
Im Zentrum:	7. Auch in der Stadt braucht man manchmal ein Auto.	☐	☐
	8. Manchmal möchte Jerôme Ziegler mehr Ruhe.	☐	☐
	9. Jerôme Ziegler hat nur wenig Kontakt zu seinen Nachbarn.	☐	☐

c   Machen Sie ein Interview mit Ihrem Partner / Ihrer Partnerin. Wo wohnt er/sie: in der Stadt, am Stadtrand oder auf dem Land? Was gefällt ihm/ihr, was nicht? Machen Sie Notizen und berichten Sie im Kurs.

Meine Nachbarn

3   **Sehen Sie die Bilder an und beschreiben Sie die Situation in einer Mail.**

Ach, Herr Dr. Müller!

A   B   C   D

Liebe Paula,   ☒

ich muss dir unbedingt vom Wochenende berichten. Am Samstag haben wir … Das war toll, denn …
Plötzlich …, weil … Aber dann … Lustig, oder? Ich hoffe, …

Viele Grüße …

4 a   **Hören Sie die Gespräche. Um welchen Gefallen bitten die Personen? Kreuzen Sie an.**

2.26–28

1. Herr Steiner bittet Frau Seifert,   ⓐ dass sie der Firma Schelling den Schlüssel gibt.
                                         ⓑ dass sie mit der Firma Schelling in seine Wohnung geht.

2. Lena fragt ihren Nachbarn Stefan,   ⓐ ob er ihr bei einem Problem mit dem Auto helfen kann.
                                        ⓑ ob er eine Pflanze auf ihren Balkon bringen kann.

3. Frau Scholz möchte,   ⓐ dass Herr Baran die Post in ihre Wohnung legt.
                                        ⓑ dass Herr Baran jeden Abend das Licht in ihrer Wohnung
                                           ausmacht.

b   **Hören Sie noch einmal. In welchem Gespräch hören Sie das? Notieren Sie 1, 2 oder 3.**

1. Könnten Sie mir bitte einen Gefallen tun? _____   5. Aber das mache ich doch gern. _____

2. Könntest du mir bitte kurz helfen? _____   6. Ja, gern. Was gibt's? _____

3. Ich wollte Sie auch fragen, ob … _____   7. Ja, das geht gut! _____

4. Ich hätte eine Bitte: … _____   8. Natürlich, das mache ich gern. _____

c   **Frau Sammer beschwert sich. Wählen Sie.**

2.29   A **Hören Sie und ordnen Sie das Gespräch.**   B **Ordnen Sie das Gespräch und hören Sie zur
                                                             Kontrolle.**

_____ ● Ach, wir müssen die Haustür abschließen? Ab wie viel Uhr?

_____ ○ Das machen wir hier immer so. Man fühlt sich einfach sicherer, verstehen Sie?

_1_ ○ Entschuldigen Sie, gestern war die Haustür die ganze Nacht offen.

_____ ● Ja, das kann ich gut verstehen. Tut mir leid.

_____ ○ Ja, ab acht Uhr soll die Haustür geschlossen sein. Hat man Ihnen das nicht gesagt?

_____ ○ Kein Problem. Sie wohnen ja erst seit zwei Wochen hier, da kann man nicht alles wissen.

_____ ● Nein. Das habe ich nicht gewusst. Warum muss die Tür dann zu sein?

d **Lesen Sie die Dialoge. Welche Antwort passt? Kreuzen Sie an.**

1. Ich finde es nicht gut, wenn du bis spät nachts Gitarre übst. Ich konnte gestern nicht schlafen.
   [a] Natürlich, das mache ich gern.
   [b] Entschuldigung, das wollte ich nicht.

2. Entschuldigung, hier dürfen keine Fahrräder stehen.
   [a] Das habe ich nicht gewusst.
   [b] Schon okay.

3. Es stört mich, wenn Ihr Hund den ganzen Tag bellt.
   [a] Das tut mir leid.
   [b] Na gut, ist nicht so schlimm.

4. Sie grillen jeden Abend. Das geht nicht!
   [a] Das finde ich nicht gut.
   [b] Das kommt nicht mehr vor.

Das Sommerfest

5 a **Grillparty bei Nico. Schreiben Sie die Sätze zu den Bildern.**

An der Wand hängt eine Lampe. | Nico legt Fleisch auf den Grill. | Auf dem Tisch stehen Gläser. | Nico hängt eine Lampe an die Wand. | Auf dem Grill liegt Fleisch. | Nico stellt Gläser auf den Tisch.

1. _____

2. _____

3. _____

4. _____

_____

5. _____

_____

6. _____

_____

b **Ergänzen Sie die passende Präposition und den Artikel.**

Sätze 1–3: auf | in | über   **Sätze 4–6:** neben | unter | vor

Wohin? ⊕

1. Hanna hängt ein Bild _**über das**_ Bett (das).

2. Sie stellt die Blumen _____ Tisch (der).

3. Wurst und Käse legt sie _____ Kühlschrank (der).

4. Er stellt eine Flasche Wasser _____ Laptop (der).

5. Er legt die Zeitung _____ Bild (das).

6. Simon stellt seine Schuhe _____ Tür (die).

Wo? ◉

1. Das Bild hängt jetzt _____ Bett.

2. Die Blumen stehen _____ Tisch.

3. Wurst und Käse liegen _____ Kühlschrank.

4. Die Flasche Wasser steht _____ Laptop.

5. Die Zeitung liegt _____ Bild.

6. Simons Schuhe stehen _____ Tür.

c **Aufräumen nach der Party. Wohin mit den Sachen? Ergänzen Sie Präposition und Artikel in der richtigen Form.**

○ Wohin kommt der kleine Tisch? ● Stellt ihn (1) _____ (auf, der) Balkon.

○ Und diese zwei Stühle? ● Stell sie bitte (2) _____ (zwischen, der) Schrank

und _____ (das) Sofa.

○ Die leeren Flaschen? ● Bring sie bitte (3) _____ (in, der) Keller.

○ Was ist mit den Gläsern? ● Stell sie gleich (4) _____ (in, die) Spülmaschine.

○ Und die schmutzigen Teller? ● Stell sie bitte (5) _____ (neben, der) Herd.

○ Und wohin mit dem Müll? ● Sei so nett, wirf ihn bitte gleich (6) _____ (in, die)

Mülltonne.

d **Eva räumt ihr Zimmer auf. Wohin kommen die Sachen? Ergänzen Sie.**

1. Eva stellt den Laptop _auf den Tisch_____ .

2. Sie stellt die Pflanze _____ .

3. Das Handy legt sie _____ .

4. Sie stellt die Bücher _____ .

5. Die Jacke hängt sie _____ .

6. Den Rucksack stellt sie _____ .

e **Schreiben Sie Sätze.**

A Wohin stellen/legen Sie diese Dinge?   **B** Wo stehen/liegen diese Dinge bei Ihnen?
1. die Schuhe   1. das Fahrrad
2. das Handy   2. der Schlüssel
3. der Rucksack   3. die Getränke   _A 1. Meine Schuhe stelle ich ..._

Zimmer frei!

6 a **Hören Sie. Wo und wie hat Anne Urlaub gemacht?**

2.30

Wo? _____   Wie? _____

b **Hören Sie noch einmal. Sind die Sätze richtig oder falsch? Kreuzen Sie an.**

	richtig	falsch
1. Die Wohnung war schön, aber leider am Stadtrand.	☐	☐
2. Die spanische Familie hat die Katze gefüttert.	☐	☐
3. Anne war es egal, dass ihre privaten Dinge in der Wohnung sind.	☐	☐
4. Am Ende vom Urlaub hat Anne die Wohnung sauber gemacht.	☐	☐
5. Sie haben beim Wohnungstausch eine nette Familie kennengelernt.	☐	☐
6. Nächstes Jahr möchten sie Urlaub im Hotel machen.	☐	☐

c **Möchten Sie Ihre Wohnung tauschen? Schreiben Sie mindestens vier Sätze.**

Tauschen? – Ja!
Wo?   Wann?   Wie lange?
Wie soll die andere Wohnung sein?

Tauschen? – Nein!
Warum nicht? Wo machen Sie Urlaub?
Wie? Hotel, Ferienwohnung, Camping …?

7 a **Lesen Sie die Sätze. Ist das ein Mal passiert oder öfter? Kreuzen Sie an.**

	ein Mal	öfter
1. Ich bin letztes Jahr nach Hannover gezogen.	☐	☐
2. Im Sommer habe ich abends Sport gemacht.	☐	☐
3. Jeden Morgen bin ich zum Bäcker gegangen.	☐	☐
4. Am Freitag habe ich meinen Schlüssel vergessen.	☐	☐
5. An den Wochenenden habe ich meine Freunde besucht.	☐	☐
6. Mit 16 Jahren wollte ich in einer großen Stadt leben.	☐	☐

b **Ergänzen Sie in den Sätzen *als* oder *wenn*. Die Lösungen in 7a helfen.**

1. _____ ich letztes Jahr nach Hannover gezogen bin, war alles neu für mich.

2. _____ ich im Sommer abends Sport gemacht habe, war ich immer gut gelaunt.

3. _____ ich zum Bäcker gegangen bin, habe ich immer ein Croissant und Brötchen gekauft.

4. _____ ich am Freitag meinen Schlüssel vergessen habe, hat mir mein Nachbar geholfen.

5. _____ ich an den Wochenenden meine Freunde besucht habe, hatten wir viel Spaß.

6. _____ ich 16 Jahre alt war, wollte ich in einer großen Stadt leben.

c ***als* oder *wenn*? Achten Sie auf die Signalwörter und markieren Sie.**

1. Als/Wenn ich zum ersten Mal allein Urlaub gemacht habe, habe ich viele Leute kennengelernt.
2. Immer als/wenn ich in Urlaub fahre, freue ich mich sehr.
3. Es macht mir immer Spaß, als/wenn ich in ein anderes Land reise.
4. Als/Wenn ich letztes Jahr in den Osten Kanadas gefahren bin, habe ich nicht alles verstanden. Mein Französisch war nicht so gut.
5. Es war eine schöne Reise. Als/Wenn ich auf der Reise kleine Probleme hatte, hat mir meistens jemand geholfen.

> **!**
> Achten Sie auf Signalwörter:
> *einmal, zum ersten Mal,*
> *am letzten Sonntag …*
> → *als*
> *oft, meistens, immer …*
> → *wenn*

d **Schreiben Sie die Sätze in der Vergangenheit mit *als*. Achten Sie auf die Wortstellung.**

1. als / Samuel / in der Schule / sein / , // viel / lernen / er / müssen / .
2. seine Eltern / mit ihm / nach Berlin / ziehen / , // als / er / 16 Jahre alt / sein / .
3. als / er / mit der Schule / fertig sein / , // eine Ausbildung / er / anfangen / .
4. er / eine eigene Wohnung / finden / , // als / die Ausbildung / zu Ende sein / .
5. als / er / 22 Jahre alt / sein / , // ein Chemiestudium / beginnen / .

1. Als Samuel in der Schule war, musste er ...

e **Und Sie? Schreiben Sie Sätze in der Vergangenheit.**

Wenn ich ...
1. in einer neuen Stadt sein
2. eine Frage haben
3. etwas nicht verstehen

Als ich ...
4. zum ersten Mal umziehen
5. eine neue Adresse haben
6. den Schlüssel verlieren

8 a **Wo liegt die Stadt Dresden? Suchen Sie auf einer Deutschlandkarte.**

b **Lesen Sie die Informationen über Dresden und die Ausdrücke auf der nächsten Seite. Zu welchen Informationen auf dem Plakat passen sie? Notieren Sie die Nummern. Manchmal gibt es mehrere Möglichkeiten.**

Dresden

Bundesland: Sachsen ___9___
Größe: 328,3 km² _____
Einwohner: ca. 555.000 _____

↑ **Kunsthofpassage:** 5 Gebäude
in Hinterhöfen, viele Restaurants und
Cafés _____, Wohnen und Arbeiten
_____, kreativ und bunt _____

↑ **Semperoper:**
bekanntes Opernhaus _____
Architekt: Gottfried Semper _____

←
Neue Synagoge:
Bauzeit: 1998–2001
_____, modernes
Gebäude _____,
2002 Preis
*Beste Europäische
Architektur*

←
Frauenkirche:
1726 bis 1743
gebaut _____,
Planung
von Georg
Bähr _____,
viele
Konzerte
_____

1. … hat … geplant. | 2. Das Gebäude hat … bekommen. | 3. … hat man von … bis … gebaut. |
4. Der Architekt von … war … | 5. Die … ist ein/e … | 6. Die Atmosphäre in der Kunsthofpassage ist … |
7. … ist … Quadratkilometer groß. | 8. Die Stadt hat … Einwohner. | 9. … liegt in … | 10. Es gibt
hier … | 11. In der Kunsthofpassage kann man … verbinden. | 12. In … kann man viele … besuchen. |

c   **Arbeiten Sie zu zweit. Präsentieren Sie Dresden im Kurs.**

◄)） 9 a   **Aussprache: Satzakzent. Hören Sie die Sätze und lesen Sie mit. Sprechen Sie dann nach.**
2.31

1. Ich habe dieses Jahr | einen Wohnungstausch gemacht.
2. Ich möchte nächstes Jahr | wieder einen Wohnungstausch machen.
3. Ich möchte nächstes Jahr mit den Kindern | einen Wohnungstausch in Spanien machen.

◄)） b   **Hören Sie die Sätze und markieren Sie die Satzakzente. Sprechen Sie dann die Sätze.**
2.32

1. Wir räumen heute die Wohnung auf.
2. Wir räumen heute Nachmittag | die Wohnung auf.
3. Wir haben heute Nachmittag | die ganze Wohnung aufgeräumt.
4. Wir haben heute Nachmittag | drei Stunden lang | die ganze Wohnung aufgeräumt.

Die Deutschen und ihre Haustiere

10 a   **Lesen Sie die Anzeigen. Was ist das Ziel dieser Homepage?**

1. Haustiere verkaufen   2. ein neues Zuhause für Tiere finden   3. über Haustiere informieren

Wer will mich?   ☒

A   *Ginger* ist ein lieber Familienhund. Leider ist seine Besitzerin schwer
krank, deshalb kann *Ginger* nicht mehr bei ihr bleiben. *Ginger* ist 5 Jahre alt.
Suchen Sie einen kinderlieben, ruhigen Hund? *Ginger* wartet auf Sie!

B   Unser Meerschweinchen *Judy* hat Junge bekommen! Nun suchen wir einen
guten Platz für die süßen Kleinen.

C   *Minifant* ist eine ältere Dame: Sie ist schon 17 Jahre alt, aber sie kann
noch viel älter werden! Schildkröten kann man leicht pflegen. *Minifant* läuft
gern frei in der Wohnung herum – und noch lieber in einem Garten.

D   Die Freundin von *Butzi* ist gestorben, *Butzi* ist aber nicht gern allein.
Wir suchen ein neues Zuhause. Haben Sie schon einen Nymphensittich oder
andere Vögel? Dann ist das der perfekte neue Platz.

b   **Lesen Sie die Antworten auf der Webseite. Welches Tier aus 10a passt zu wem?**

1   Wir sind eine Familie mit zwei Kindern, 7 und 9 Jahre. Alle möchten ein Haustier haben.
Unser Sohn hat eine Allergie gegen Tierhaare.

2   Wir, Frau und Tochter (11), suchen ein liebes Haustier. Wir haben einen Garten und machen
gern Ausflüge.

3   Unsere Wohnung ist klein, unser Herz für Tiere ist groß. Wir wollen zwei kleine Haustiere
mit viel Liebe pflegen.

11 a **Haben Sie das gewusst? Was passt zusammen? Vergleichen Sie Ihre Antworten.**

1. Nur die Menschen _____   A können im Stehen schlafen.

2. Delphine _____   B essen 17 bis 19 Stunden täglich.

3. Elefanten _____   C bekommen jedes Jahr neue Zähne.

4. Krokodile _____   D können nicht rückwärts schwimmen.

5. Pferde _____   E können lächeln.

1E, 2D, 3B, 4C, 5A

b **Arbeiten Sie zu zweit. Stellen Sie Fragen zu den Informationen links. Jede/r stellt drei Fragen. Wechseln Sie sich ab.**

> **Elefanten – Hast du das gewusst?**
> - in Deutschland leben über 200 Tiere
> - Babys wiegen 75 bis 150 Kilo
> - Elefanten trinken 70 bis 150 Liter Wasser pro Tag
> - sie können 100 andere Elefanten an der Stimme unterscheiden
> - sie bekommen 6 Mal im Leben neue Zähne
> - sie schlafen ca. vier Stunden täglich

Hast du gewusst, dass …?
Hast du auch schon gehört, dass …?
Findest du auch interessant, dass …?
(Ja./Nein.) Das hat mich (wirklich/nich… überrascht.
(Ja./Nein.) Das habe ich (nicht) gewus…
(Ja./Nein.) Das ist für mich (nicht) neu…

Hast du gewusst, dass in Deutschland über 200 Elefanten leben?

Nein, das hat mich wirklich überrascht.

Tiergeschichten

12 a **Bringen Sie die Sätze in die richtige Reihenfolge.**

_____ 17 Monate später war Lina wieder in Berlin: im Tierheim.

_*1*_ Die Katze Lina hat lange in einem Tierheim in Berlin gelebt.

_____ Das Tierheim war voll. Sie haben neue Besitzer für Katzen gesucht.

_____ Aber nach zwei Monaten in Braunschweig ist Lina weggelaufen.

_____ Sie ist 240 km nach Berlin gelaufen!

_____ Als die Geschichte in der Zeitung war, haben sich viele Familien gemeldet. Lina lebt jetzt bei einer Familie in Berlin. Hoffentlich ist sie da glücklicher.

_____ Eine Familie hat Lina aus dem Tierheim geholt und nach Braunschweig mitgenommen.

_____ Die Familie war traurig, sie konnte Lina nicht finden.

b **Arbeiten Sie zu zweit. Schreiben Sie mit den Sätzen in 12a eine Geschichte. Verwenden Sie die Tipps.**

!	
Verwenden Sie Adjektive.	*Die **süße** Katze Lina hat in einem **großen** Tierheim in Berlin gelebt.*
Verbinden Sie die Sätze. Verwenden Sie *und, aber, deshalb, trotzdem …*	***Aber** das Tierheim war voll. **Deshalb** haben Sie …*
Verwenden Sie Nebensätze: *weil, als …*	***Als** die Familie Lina nicht finden konnte, …*

R1   **Arbeiten Sie zu zweit. Schreiben Sie ein Gespräch zu der Situation und spielen Sie es vor.**

	☺☺	☺	☹	☹	KB	ÜB
✏ 🗨 Ich kann mich beschweren und mich entschuldigen.	☐	☐	☐	☐	3, 4	3, 4c–d

R2   **Wohin kommt das? Fragen und antworten Sie zu zweit. Wechseln Sie sich ab.**

1. der Müll – in, die Mülltonne – werfen
2. die Servietten – auf, der Tisch – legen
3. der Stuhl – in, der Flur – stellen

4. der Mantel – an, der Schrank – hängen
5. die Post – auf, der Schreibtisch – legen
6. das Buch – in, das Regal – stellen

Wohin kommt der Müll?   *Wirf ihn in die Mülltonne, bitte.*

	☺☺	☺	☹	☹	KB	ÜB
🗨 ✏ Ich kann Ortsangaben machen.	☐	☐	☐	☐	5	5

R3   **Ergänzen Sie die Sätze.**

1. Als ich sechs Jahre alt war, …
2. Ich war glücklich, als …
3. Immer wenn ich mit meinen Eltern in Urlaub war, …

4. …, war ich zum ersten Mal in …
5. …, musste ich immer lachen.
6. …, habe ich Freunde gefragt.

	☺☺	☺	☹	☹	KB	ÜB
🗨 Ich kann über Vergangenes berichten.	☐	☐	☐	☐	6d, 7	7

Außerdem kann ich …	☺☺	☺	☹	☹	KB	ÜB
📖 🔊 … Informationen zur Wohnsituation verstehen	☐	☐	☐	☐	1, 2	1, 2
🗨 und geben.						
🗨 … um einen Gefallen bitten.	☐	☐	☐	☐	3, 4a	4a–b
🗨 … ein Fest vorbereiten.	☐	☐	☐	☐	5e	
📖 🔊 … Erfahrungsberichte verstehen.	☐	☐	☐	☐	6	6a–b
🔊 … eine Stadt präsentieren.	☐	☐	☐	☐	8	8
🔊 📖 … Informationen über Haustiere verstehen.	☐	☐	☐	☐	10a–b, 11b, 12a	10, 11
🗨 … über Haustiere sprechen.	☐	☐	☐	☐	10c–d, 11d	
✏ 🗨 … auf Informationen reagieren.	☐	☐	☐	☐	11c	11b
✏ … eine Geschichte schreiben und verbessern.	☐	☐	☐	☐	12	12

Wohnformen

das Zuhause (Sg.) _____

der Bauernhof, ⸚e _____

die Ferienwohnung, -en _____

der Bauer, -n _____

mitten *(mitten in der Natur)* _____

cinsam _____

der Stadtrand, ⸚er *(am Stadtrand wohnen)* _____

außerhalb von (+ D.) *(6 km außerhalb vom Dorf wohnen)* _____

das Hausboot, -e _____

das Ufer, - _____

schaukeln *(Das Boot schaukelt auf dem Wasser.)* _____

nass _____

spiegeln (sich) *(Wolken spiegeln sich im Wasser.)* _____

einfach *(Das Leben ist sehr einfach.)* _____

der Luxus (Sg.) _____

das Gartenhaus, ⸚er _____

der Altbau, -ten _____

das Stockwerk, -e _____

der Keller, - _____

das Dach, ⸚er _____

der Boden, ⸚ _____

Maße angeben

die Länge, -n _____

die Breite, -n _____

die Höhe, -n _____

die Fläche, -n _____

der Quadratmeter, - (= qm, m²) _____

Nachbarn

nebenan *(in der Wohnung nebenan leben)* _____

gießen, er gießt, hat gegossen *(die Blumen gießen)* _____

der Blumentopf, ⸚e _____

der Briefkasten, ⸚ _____

das Päckchen, - _____

aus|packen _____

der Lärm (Sg.) *(sich über den Lärm beschweren)* _____

stinken, er stinkt, hat gestunken *(Der Müll stinkt.)* _____

Verzeihung, bitte! _____

vor|kommen, er kommt vor, ist vorgekommen *(Entschuldigung, das kommt nicht mehr vor.)* _____

ein Fest vorbereiten

das Sommerfest, -e _____

die Torte, -n *(Kuchen und Torten mitbringen)* _____

der Wein, -e _____

das Poster, - _____

der Lampion, -s _____

die Kerze, -n _____

das Spielzeug, -e _____

der Roller, - *(mit dem Roller fahren)* _____

das Kissen, - _____

legen *(das Kissen auf den Stuhl legen)* _____

hängen *(Er hängt Lampions in den Baum.)* _____

hängen, er hängt, hat gehangen *(Das Poster hängt am Gartenhaus.)* _____

Zimmer tauschen

die Mieterin, -nen _____

der Mitbewohner, - _____

möbliert _____

die Nebenkosten (Pl.) _____

ein|ziehen, er zieht ein, ist eingezogen _____

gespannt *(Ich bin schon gespannt.)* _____

aus|kennen (sich), er kennt
aus, hat ausgekannt _____

verirren (sich) _____

kündigen *(die Arbeit / die
Wohnung kündigen)* _____

Tiere

das Haustier, -e _____

die Katze, -n _____

das Kätzchen, - *(So ein
süßes kleines Kätzchen!)* _____

bellen *(Der Hund bellt laut.)* _____

der Vogel, ⸚ _____

die Ratte, -n _____

die Maus, ⸚e _____

der Hase, -n _____

die Kuh, ⸚e _____

das Schaf, -e _____

das Schwein, -e _____

der Bär, -en _____

die Besitzerin, -nen _____

das Futter (Sg.) _____

füttern *(die Katze füttern)* _____

dick *(Viele Haustiere sind
zu dick.)* _____

dünn *(Der Hund war sehr
dünn.)* _____

der Tierarzt, ⸚e _____

modisch _____

besorgt *(Die Besitzer
waren besorgt.)* _____

blitzschnell _____

her|geben, er gibt her, hat
hergegeben _____

weg|laufen, er läuft weg,
ist weggelaufen _____

zurück|laufen, er läuft
zurück, ist zurückgelaufen _____

andere wichtige Wörter und Wendungen

die Zulassung, -en *(die
Zulassung zum Studium
bekommen)* _____

per *(etwas per Mail
schicken)* _____

intensiv _____

schmutzig _____

nämlich *(Der Hund war
nämlich gern allein.)* _____

nie mehr _____

zum Teil _____

zumindest _____

als *(Als ich ein Kind war, …)* _____

die Vergangenheit (Sg.) _____

der Stil, -e _____

verbessern _____

die Veränderung, -en _____

Wichtig für mich:

_____

_____

_____

Sammeln Sie zu jedem Bild fünf Wörter und Ausdrücke. Schreiben Sie dann zu einem Bild einen kurzen Text.

Wie die Zeit vergeht!

1 a **Was haben die Personen gemacht? Arbeiten Sie zu zweit. Fragen und antworten Sie.**

A

Jonas mit 8 Jahren?	Anna mit 16 Jahren eine Ausbildung beginnen	Elena mit 20 Jahren?
Sven mit 28 Jahren seine Frau kennenlernen	Peter mit 35 Jahren?	Vanessa mit 50 Jahren im Beruf erfolgreich sein

Sven mit 28 Jahren?	Peter mit 35 Jahren viel Zeit mit der Familie verbringen	Vanessa mit 50 Jahren?
Jonas mit 8 Jahren oft mit Freunden spielen	Anna mit 16 Jahren?	Elena mit 20 Jahren große Pläne haben

B

Was hat Jonas mit 8 Jahren gemacht?

Mit 8 Jahren hat er oft mit Freunden gespielt.

b **Fotos von Oma und Opa. Was ist passiert? Ordnen Sie die Gespräche den Bildern zu.**

1
○ Wann war das?
● 1969, da haben wir das Haus gebaut.
○ Habt ihr das selbst gemacht?
● Nein, nein. Das haben verschiedene Handwerker gemacht. Aber wir mussten dann alles noch einrichten, und das war auch viel Arbeit.

2
○ Oma, was machst du denn da?
△ Moment, ach ja. Da habe ich gebacken, für das Wochenende.
○ Mhm, lecker.
△ Ich war Hausfrau, als dein Papa klein war, und habe viel gebacken. Ich bin erst wieder arbeiten gegangen, als er schon 10 Jahre alt war.

3
○ Das ist ja lustig.
● Lustig? Vor allem ziemlich teuer! Für das Auto mussten wir lange sparen. Ich habe nicht Acht gegeben und einfach zu spät gebremst.
○ Warst du da betrunken, Opa?
● Nein, natürlich nicht. Ich trinke nie Alkohol, wenn ich fahre. Ich wollte nur schnell das Auto in die Garage fahren.

4
○ Warum hast du da einen Verband, Opa?
● Ich wollte ein Fenster reparieren. Und dann ist das Glas gebrochen und ich habe mich an der Hand verletzt.
○ War es schlimm?
● Ja, es hat stark geblutet. Ich musste sogar ein paar Tage im Krankenhaus bleiben.

A

B

C

D

c **Was passt nicht in die Reihe? Streichen Sie.**

1. der Führerschein – bremsen – einrichten – Auto fahren
2. die Garage – der Computer – tanken – die Werkstatt
3. der Haushalt – die Hausarbeit machen – sich kennenlernen – zu Hause sein
4. die Baustelle – einrichten – ein Haus bauen – einen Ausflug machen
5. schwanger sein – krank sein – geboren werden – ein Kind bekommen
6. reisen – sich verletzen – einen Unfall haben – bluten

d Was haben Sie schon gemacht oder erlebt? In welchem Alter? Beschreiben Sie fünf bis sieben Ereignisse.

Als ich ... Jahre alt war, ...

2 **Wie heißen die Wörter?**

1. Manche Familien machen am Wochenende einen …

2. Junge Leute machen oft Reisen. Sie sind viel …

3. Schüler/innen müssen am Nachmittag … machen.

4. Nach der Schule machen viele eine … oder studieren.

5. Wenn sie vorbei ist, dann denken viele gern an ihre …

6. Anna und Diego lieben sich sehr. Sie wollen bald …

7. Studierende lernen oft in der …

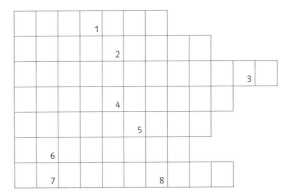

Lösungswort: ___ ___ ___ ___ ___ ___ ___ ___
1 2 3 4 5 6 7 8

Ich hätte gern mehr Zeit!

3 **So viele Wünsche. Warum sind sie nicht möglich? Ordnen Sie zu.**

1. Ich hätte am Wochenende so gern frei, *E*

2. Ich würde gern noch ein paar Tage bei euch
   bleiben, _____

3. Ich hätte gern eine große Wohnung, _____

4. Ich wäre jetzt so gern bei eurer Party, _____

5. Ich würde heute so gern Ski fahren, _____

6. Ich würde gern mit meinen Kindern ein paar
   Tage wegfahren, _____

7. Ich würde gern länger schlafen, _____

A aber das ist so teuer und ich habe nicht genug Geld.

B aber leider muss immer schon um 7:00 Uhr in der
   Arbeit sein.

C aber sie haben jetzt keine Ferien.

D aber leider ist mein Urlaub zu Ende.

E aber mein Chef sagt, dass das jetzt nicht möglich ist.

F aber leider muss ich heute Abend arbeiten.

G aber leider gibt es noch zu wenig Schnee.

4 a *hätte, wäre, würde.* Ergänzen Sie in der richtigen Form.

1. Sven _____ gern mehr Zeit und _____ gern noch länger Urlaub machen.

2. Wir _____ dich gern öfter besuchen, aber du wohnst so weit weg.

3. Kira _____ so gern berühmt, sie _____ gern viele Fans.

4. Lara und Sven _____ jetzt gern am Meer, sie _____ so gern schwimmen.

5. Ich _____ so gern ein paar Tage Urlaub und _____ gern mal wieder
   ausschlafen.

6. Wir _____ heute gern bei eurer Party und _____ so gern mit euch feiern.

b **Das wäre so schön! Schreiben Sie die Wünsche im Konjunktiv II + *gern*.**

1. wir – unsere Freunde treffen   *Wir würden gern unsere Freunde treffen.*

2. Jan – mehr Geld haben   _____

3. du – weniger Stress haben   _____

4. Theresa – mehr lesen   _____

5. ihr – länger bleiben   _____

6. Jana und Eva – berühmt sein   _____

7. du – öfter Sport machen   _____

8. ich – …   _____

c **Sehen Sie die Zeichnung an. Welche Wünsche hat Sebastian?**

Sebastian hätte gern ein großes Haus.

_____

_____

_____

_____

_____

_____

d **Wofür hätten Sie gern mehr Zeit? Ein Fotointerview ohne Worte. Ergänzen Sie die Wünsche und vergleichen Sie.**

1. Annika Rubens _____   2. Stefan Antelmi _____   3. Marika und Jan Steger _____

_____   _____

e **Und Sie? Machen Sie ein Fotointerview zu zweit. Tauschen Sie dann die Fotos mit einem anderen Paar und raten Sie: Wofür hätte er/sie gern mehr Zeit?**

David hätte gern …

Marcella würde gern …

So ein Stress!

→•← **5 a** **Ratschläge. Wählen Sie.**

🔊
2.33

A **Hören Sie. Ergänzen Sie dann *könnte, sollte* oder *würde* in der richtigen Form.**

B **Ergänzen Sie *könnte, sollte* oder *würde* in der richtigen Form. Hören Sie dann und kontrollieren Sie.**

1. ○ Ich habe ständig zu wenig Geld.

   ● Dann _____ ich nicht mehr in das teure Fitness-Studio gehen. Außerdem

   _____ du mit dem Fahrrad ins Büro fahren. Da _____ du auch etwas

   für deine Gesundheit tun.

2. ○ Was soll ich tun, Frau Doktor? Ich bin immer so müde.

   ● Sie arbeiten zu viel. Sie _____ ein paar Tage freinehmen. An Ihrer Stelle

   _____ ich mich auch mehr bewegen.

3. ○ Ich habe immer zu wenig Zeit.

   ● Sie _____ unbedingt einen Tagesplan machen. Dann _____ Sie

   kontrollieren, was Sie wirklich gemacht haben und wo Sie Zeit verlieren.

4. ○ Ich muss so viele Dinge tun. Zu viele!

   ● Du arbeitest zu viel. Ich _____ mir Hilfe holen. Du _____ dringend

   für deine Firma einen guten Mitarbeiter oder eine Mitarbeiterin suchen. Dann hättest du mehr

   Zeit für dich. Und für deine Freunde.

b **Formulieren Sie höfliche Bitten im Konjunktiv II.**

1. Auf einer Party:
   Sie möchten noch ein Glas Wein.

   Könnte ich noch ein Glas Wein haben? _____

2. Beim Frühstück:
   Sie möchten das Brot.

   _____

3. Im Restaurant:
   Sie möchten bezahlen.

   _____

4. Im Sprachkurs:
   Sie brauchen einen Stift.

   _____

5. Im Fitness-Studio:
   Sie möchten ein Handtuch ausleihen.

   _____

6 **Sehen Sie die Bilder an. Geben Sie je zwei Ratschläge.**

A   B   C   D

A 1. Er sollte einkaufen gehen.
2. Ich würde ...

Der Kajak-Ausflug

7 a **Welche Präposition ist richtig? Kreuzen Sie an.**

1. ○ Ich freue mich ☐ mit ☐ auf Ninas Geburtstag am Samstag.
   ● Oh ja, ich auch! Das wird super!
2. ○ Erinnerst du dich noch ☐ an ☐ über die Party letztes Jahr?
   ● Ja, klar, die war toll!
3. ○ Wer kümmert sich ☐ um ☐ an das Essen?
   ● Wir alle! Jeder bringt etwas mit.
4. ○ Kommt Nico auch?
   ● Nein, leider nicht, er muss sich ☐ auf ☐ an einen Test vorbereiten.
5. ○ Hast du schon ☐ zu ☐ mit Emma gesprochen?
   ● Noch nicht. Aber ich rufe sie gleich an.
6. ○ Komm, wir gehen jetzt Getränke kaufen.
   ● Nein, wir müssen noch ☐ um ☐ auf Marco warten.

b **Ergänzen Sie die Präpositionen und die Verben in der richtigen Form.**

sich erinnern | sich freuen | ~~sich kümmern~~ |
sprechen | sich vorbereiten | warten
an | auf | auf | auf | mit | ~~um~~

1. Thilo hat sich __*um*__ die Tickets __*gekümmert*__.

2. Mereth hat auch _____ Milan _____, aber er

   konnte nicht mitkommen.

3. Milan musste _____ eine Prüfung _____.

4. Am Bahnhof mussten sie _____ Thilo _____, er hat den Bus verpasst!

5. Thilo hat Fotos gemacht. So können sie _____ später gut _____ diesen Tag _____.

6. Linda _____ _____ schon _____ den nächsten Kajak-Ausflug.

8 a **Ordnen Sie die Gesprächsteile zu.**

1. ○ Hallo, wie geht's? _E_

2. ○ Auch gut. Hast du morgen schon was vor? Wir
   könnten mal wieder schwimmen gehen. _____

3. ○ Ach, schade, abends geht es bei mir leider
   nicht. Wollen wir uns dann vielleicht am
   Samstag, treffen? Geht das bei dir? _____

4. ○ Ja, das wäre super. Und wann möchtest du
   losfahren? _____

5. ○ Ja, das ist gut. Wo treffen wir uns? _____

6. ○ Ja, dann bis Samstag um 10 Uhr. _____

A ● An der S-Bahn. Einverstanden?

B ● Bis dann, ich freue mich!

C ● Hm, ich denke so gegen zehn. Passt dir das?

D ● Klar, gern. Aber ich muss bis um sechs
   arbeiten. Ich kann erst um sieben am
   Schwimmbad sein.

E ● Gut, und dir?

F ● Ja, das geht. Wenn das Wetter schön ist,
   können wir vielleicht sogar an den Wannsee
   fahren.

b **Hören Sie und sprechen Sie im Gespräch die Teile A–F.**

2.34

c **Gemeinsam etwas planen. Sprechen Sie zu zweit über alle Punkte auf Ihrer Karte.**

> **A**
> Sie möchten am Samstag ein Picknick machen. Planen Sie es mit Ihrem Partner / Ihrer Partnerin.
> - Sie möchten gegen 15:00 Uhr beginnen.
> - Am Sonntag geht es bei Ihnen nicht.
> - Sie möchten zusammen mit dem Fahrrad in den Park fahren.
> - Sie kümmern sich um die Getränke.

> **B**
> Ihr Partner / Ihre Partnerin möchte am Samstag ein Picknick machen. Planen Sie es gemeinsam.
> - Am Samstag können Sie erst ab 17:00 Uhr, am Sonntag haben Sie Zeit.
> - Fragen Sie, wo das Picknick sein soll.
> - Schlagen Sie vor, wer was mitbringt.
> - Sie kümmern sich um Teller und Besteck.

9 a **Was gehört zusammen? Verbinden Sie.**

1. Ich freu' mich so! —————— Auf wen?   An das Treffen letzte Woche.

2. Moment, ich telefoniere.   Woran?   Auf meine Prüfung. Sie ist echt schwer.

3. Wir unterhalten uns gerade.   Mit wem?   Über ein Problem in meiner Firma.

4. Ich bereite mich heute vor.   Worauf?   Auf meine Freundin. Sie kommt heute zurück.

5. Erinnerst du dich noch?   Worüber?   Mit meinen Eltern.

sich freuen **auf**	sich freuen **über**
Peter hat morgen Geburtstag.	*Peter hatte gestern Geburtstag.*
Er freut sich auf die Geschenke!	*Er freut sich über die Geschenke.*

b **Welches Fragewort ist für die unterstrichene Information nötig? Schreiben Sie.**

Dinge und Ereignisse	Personen
1. Stefano bereitet sich <u>auf das Bewerbungs-gespräch</u> vor. *Worauf?*	6. Mereth unterhält sich <u>mit Milan</u>. _____
2. Ilva denkt immer <u>an ihre Arbeit</u>. _____	7. Pia wartet seit einer Stunde <u>auf Ben</u>. _____
3. Yara kümmert sich <u>um die Tickets</u> für die Reise. _____	8. Franz denkt oft <u>an seine alten Freunde aus der Schule</u>. _____
4. Franz interessiert sich <u>für Computer</u>. _____	9. Linda kümmert sich oft <u>um das Kind von den Nachbarn</u>. _____
5. Valentin freut sich <u>über das schöne Wetter</u>. _____	10. Milan ärgert sich manchmal <u>über seinen Bruder</u>. _____

 c **Wie ist das in Ihrer Sprache? Gibt es Verben mit Präpositionen? Wie bildet man die Fragewörter? Vergleichen Sie.**

→•← **d** **Wählen Sie.**

A Ergänzen Sie die Fragen mit den Wörtern unten.   **B Ergänzen Sie die Fragen.**

1. ○ Gestern ist es ziemlich spät geworden. Wir haben lange diskutiert.

   ● Und _worüber_? Wahrscheinlich wieder über Sport, oder?

2. ○ Tina hat sich gestern im Büro so über einen Kollegen geärgert!

   ● _____? Wieder über Herrn Keller?

3. ○ Ich habe heute lange mit Björn gesprochen.

   ● _____? Über die Arbeit?

4. ○ Hey, _____ wartest du denn? Auf Mereth?

   ● Nein, auf meinen Freund.

5. ○ Sieh mal das Foto mit den Studenten aus Italien!

   _____ erinnerst du dich noch?

   ● An Pietro, der war immer so lustig.

6. ○ Interessierst du dich eigentlich für Sport?

   ● Ja, besonders für Tennis. Und du, _____ interessierst du dich?

   ○ Für fast alles, nur nicht für Sport!

an wen | über wen | worüber | wofür | worüber | auf wen

◀)◯**10 a** **Aussprache: Satzakzent. Hören Sie. Welche Bedeutung hat der Satz mit dieser Betonung? Ordnen Sie**
2.35 **zu. Sprechen Sie die Dialoge dann zu zweit.**

1. <u>Mein</u> Freund Markus hat 100 Euro verloren. _C_   A Nicht Dollar, es waren Euro.

2. Mein <u>Freund</u> Markus hat 100 Euro verloren. ____   B Nicht 10! Wirklich 100 Euro.

3. Mein Freund <u>Markus</u> hat 100 Euro verloren. ____   C Nicht dein Freund.

4. Mein Freund Markus <u>hat</u> 100 Euro verloren. ____   D Er hat das Geld nicht gefunden!

5. Mein Freund Markus hat <u>100</u> Euro verloren. ____   E Nicht mein Kollege Markus.

6. Mein Freund Markus hat 100 <u>Euro</u> verloren. ____   F Nicht mein Freund Ben!

7. Mein Freund Markus hat 100 Euro <u>verloren</u>. ____   G Wirklich, das ist wahr.

b **Arbeiten Sie zu zweit. Jede/r notiert einen Satz und unterstreicht drei verschiedene Betonungen.**
Tauschen Sie die Sätze und sprechen Sie mit den Betonungen.

Leben wie in einer anderen Zeit

11 a **Ergänzen Sie die Artikel. Der Text im Kursbuch hilft bei vielen Wörtern.**

1. _____ Bauernhof   4. _____ Strom   7. _____ Telefon

2. _____ Auto   5. _____ Fernseher   8. _____ Computer

3. _____ Heizung   6. _____ Handy   9. _____ Internet

b **Das Leben von Familie Ketterer. Ergänzen Sie die Verben in der richtigen Form.**

produzieren | heizen | lesen | backen | genießen | bereuen | fahren

1. Familie Ketterer hat vor sechs Jahren eine interessante Anzeige _____.

2. Sie sind auf einen einsamen Bauernhof im Schwarzwald gezogen, aber sie haben diese Entscheidung

   nie _____.

3. Die Familie _____ ihr eigenes Obst und Gemüse. Auch ihr Brot

   _____ sie selbst.

4. Wenn sie im Supermarkt einkaufen möchten, _____ sie mit dem Fahrrad oder

   der Kutsche.

5. Der Bauernhof ist groß, aber alt. Im Winter ist es oft kalt, sie müssen mit Holz

   _____.

6. Das Leben von Familie Ketterer ist oft anstrengend, aber sie _____ es.

c **Lesen Sie die Umfrage. Sind die Sätze richtig oder falsch? Kreuzen Sie an.**

Worauf können Sie verzichten?

Was brauchen Sie unbedingt? Worauf könnten Sie verzichten? Wir haben uns auf den Straßen von Augsburg umgehört und die Menschen gefragt. Aber lesen Sie selbst:

Leben wie vor hundert Jahren – Das ist nichts für mich. Aber letztes Jahr bin ich mit meiner Familie in ein kleines Dorf gezogen. Unser Haus ist alt, einfach und klein, wir brauchen nicht viel Platz. Ich liebe unseren Garten, ohne den könnte ich nicht mehr leben. Wenn ich im Garten arbeite, kann ich mich richtig gut entspannen und wir haben unser eigenes Obst und Gemüse.   *Massimo T., 40*

Ich glaube, ich könnte auf Vieles verzichten. Ich kaufe zum Beispiel nicht ständig neue Kleidung oder neue Schuhe, das brauche ich nicht. Aber ich gehe gerne ins Museum und ins Theater, das ist wichtig für mich. Und ich treffe dort meine Freunde. Auf diese Dinge möchte ich nicht verzichten.   *Ingrid P., 58*

Worauf kann ich verzichten? Das ist eine schwierige Frage. Ich denke, ich könnte auf mein Auto verzichten. Ich fahre auch gar nicht oft, denn meistens steht man im Stau oder findet keinen Parkplatz. Im Winter kann ich auch den Bus nehmen, wenn es sehr kalt ist. Aber mein Fahrrad brauche ich unbedingt, denn so bin ich mobil und schnell.   *Lea M., 28*

Ich sehe gern Filme, aber auf meinen Fernseher kann ich verzichten. Heute kann man Serien und Filme im Internet ansehen und braucht keinen Fernseher mehr. Ich glaube, ich verkaufe ihn. Aber auf meinen Laptop kann ich nicht verzichten. Den brauche ich für alles: arbeiten, Mails schreiben, online einkaufen, Filme sehen usw. Der ist wichtig für mich.   *Fred K., 36*

Und Sie?
Schreiben Sie uns unter
mail@augsburgerblatt.de

---

	richtig	falsch
1. Massimo vermisst das Leben in der Stadt.	☐	☐
2. Massimo könnte nicht auf seinen Garten verzichten.	☐	☐
3. Ingrid geht gern mit ihren Freunden ins Theater.	☐	☐
4. Neue Kleidung ist für Ingrid sehr wichtig.	☐	☐
5. Lea nimmt selten das Auto.	☐	☐
6. Lea könnte nicht auf ihr Fahrrad verzichten.	☐	☐
7. Fred sieht gern Serien im Fernsehen.	☐	☐
8. Seinen Laptop will Fred bald verkaufen.	☐	☐

Sprichwörter

12 a **Die Zeit. Welche Antwort passt? Kreuzen Sie an.**

1. Warum müssen wir so früh aufstehen? Wir können auch später ins Büro gehen, oder?
   - [a] Du weißt doch: Morgenstund' hat Gold im Mund.
   - [b] Du weißt doch: Gut' Ding will Weile haben.

2. Ach, ich glaube, ich mache das erst morgen. Ich habe jetzt keine Lust mehr.
   - [a] Hey, mach es lieber gleich. Du kennst doch das Sprichwort: Die Zeit heilt alle Wunden.
   - [b] Hey, mach es lieber gleich. Du kennst doch das Sprichwort: Was du heute kannst besorgen, das verschiebe nicht auf morgen.

3. Ich weiß gar nicht, was ich machen soll. Die Situation ist wirklich schwierig.
   - [a] Jetzt entspann dich erst mal. Kommt Zeit, kommt Rat.
   - [b] Jetzt entspann dich erst mal. Zeit ist Geld.

b **Ordnen Sie die Redewendungen A–E den Situationen zu. Manchmal gibt es mehrere Möglichkeiten.**

A Wie die Zeit vergeht!

C Mir läuft die Zeit davon.

D Dafür nehme ich mir viel Zeit.

B Das lernst du mit der Zeit.

E Es ist höchste Zeit.

1. Wir müssen uns beeilen, es ist schon sehr spät. _____

2. Was, wir haben uns zwei Jahre lang nicht gesehen? _____

3. Das geht nicht so schnell, aber bald kannst du es. _____

4. Das ist mir sehr wichtig. _____

5. Ich muss bald fertig sein, aber eigentlich brauche ich noch viel mehr Zeit. _____

c **Hören Sie das Gedicht und lesen Sie die Aussagen. Welche passt am besten zu Ihrem Eindruck von dem Gedicht? Sprechen Sie zu zweit.**

2.36

> die zeit vergeht
> lustig
> luslustigtig
> lusluslustigtigtig
> luslusluslustigtigtigtig
> lusluslusluslustigtigtigtigtig
> luslusluslusluslustigtigtigtigtigtig
> lusluslusluslusluslustigtigtigtigtigtigtig
> luslusluslusluslusluslustigtigtigtigtigtigtigtig
>
> (Ernst Jandl)

1. Ich sehe eine Pyramide, wie in Ägypten. Viel Zeit ist vergangen. Die Pyramiden sind 4.500 Jahre alt und stehen immer noch.
2. Die Zeit vergeht lustig. Man muss die Zeit so verbringen, dass man viel Spaß hat.
3. Manche Leute finden nur Spaß wichtig.
4. „lus-lus-tig-tig": Uhren machen tick, tick. Man hört hier, wie die Zeit vergeht.

R1 **Was sagen die zwei Personen? Notieren Sie Stichwörter zu den Fragen.**

2.37–38

Was ist das Problem? Was hat die Person schon versucht? Was möchte sie machen?

	☺☺	☺	☹	☹	KB	ÜB
🔊 Ich kann Aussagen über Zeitprobleme verstehen.	☐	☐	☐	☐	3a	

R2 **Sehen Sie die Bilder an. Schreiben Sie zu jedem Bild zwei Wünsche.**

1 2 3

1. Ich wäre gern am Strand. Ich …

	☺☺	☺	☹	☹	KB	ÜB
🔊✏️💬 Ich kann Wünsche verstehen und äußern.	☐	☐	☐	☐	3, 4	3, 4

R3 **Arbeiten Sie zu zweit. Beschreiben Sie „Ihr" Problem. Ihr Partner / Ihre Partnerin gibt Ratschläge.**

A Problem

Sie haben in drei Wochen eine große Prüfung.
- Es ist Sommer und Sie möchten draußen sein.
- Sie bekommen oft Besuch von Freunden.
- Sie haben keine Zeit für Sport und Bewegung.

Ratschläge
- nicht so viel arbeiten
- feste Zeiten für gemeinsame Freizeit planen
- gemeinsam entspannende Aktivitäten planen

B Ratschläge
- einen Zeitplan machen und Freizeit einplanen
- die Freunde über die Prüfung informieren
- auch Termine für Bewegung planen

Problem
Sie sind immer müde und ohne Energie.
- Sie arbeiten sehr viel und lange.
- Ihre Freunde sind in der Freizeit sehr aktiv.
- Sie wollen mehr Zeit mit Ihren Freunden verbringen.

	☺☺	☺	☹	☹	KB	ÜB
💬✏️ Ich kann Ratschläge geben.	☐	☐	☐	☐	5b–c, 6	5a, 5c, 6

Außerdem kann ich …	☺☺	☺	☹	☹	KB	ÜB
💬✏️ … mich über Lebensphasen und Aktivitäten austauschen.	☐	☐	☐		1, 2	1, 2
📖 … einen Text über Zeitprobleme verstehen.	☐	☐	☐		5	
✏️ … höfliche Bitten formulieren.	☐	☐	☐			5b
🔊 … die Planung für einen Ausflug verstehen.	☐	☐	☐		7a–b	8b
💬 … gemeinsam etwas planen.	☐	☐	☐		8	8a, 8c
💬✏️ … andere etwas fragen.	☐	☐	☐		9	9
📖 … Texte erschließen und verstehen.	☐	☐	☐		11a–b	11
💬✏️ … meine Meinung zu einem einfachen Leben und Verzicht äußern.	☐	☐	☐		11c–d	
💬 … über Sprichwörter sprechen.	☐	☐	☐		12	12a–b
💬 … über ein Gedicht sprechen.	☐	☐	☐			12c

Lebensphasen

vergehen, er vergeht,
ist vergangen _____

Die Zeit vergeht schnell. _____

die Ehe, -n _____

die Hausfrau, -en _____

der Hausmann, ⸚er _____

backen _____

einen Kuchen backen _____

bauen _____

ein|richten (*das Zimmer
schön einrichten*) _____

sparen _____

verletzen (*Ich habe mich
an der Hand verletzt.*) _____

verreisen (*Wir verreisen
nicht oft.*) _____

Arbeit

an|stellen _____

entlassen, er entlässt,
hat entlassen (*Die Firma
musste ihn entlassen.*) _____

behalten, er behält, hat
behalten (*Er möchte seine
Stelle behalten.*) _____

der Werktag, -e _____

der Export, -e _____

der Import, -e _____

die Frist, -en _____

(Frei-)Zeit

Ich würde gern … _____

aus|schalten (*das Handy
ausschalten*) _____

klingeln (*Das Handy hat
geklingelt.*) _____

ständig (*Sie rufen ständig
an.*) _____

schimpfen _____

verbringen (mit + D.), er
verbringt, hat verbracht
(*Zeit mit der Familie
verbringen*) _____

an deiner Stelle _____

meiner Meinung nach _____

Ausflüge organisieren

interessieren (sich)
(für + A.) _____

Wofür interessierst du
dich? _____

vor|bereiten (sich)
(auf + A.) _____

kümmern (sich) (um + A.) _____

Worum kümmert sich
Linda? _____

unterhalten (sich) (mit
+ D.) _____

Mit wem hast du dich so
lang unterhalten? _____

erinnern (sich) (an + A.) _____

Ich erinnere mich noch an
den letzten Ausflug. _____

Alles bestens. _____

Zeitreise

das Feuer, - _____

das Gas, -e _____

die Heizung, -en _____

heizen _____

der Strom (Sg.) _____

die Hektik (Sg.) (*ein Leben
ohne Hektik und Stress*) _____

der Helfer, - _____

die Helferin, -nen _____

der Notfall, ⸚e _____

Bei einem Notfall rufen
wir die Polizei. _____

die Unterkunft, ⸚e _____

bieten, er bietet, hat
geboten (*Wir bieten
Unterkunft.*) _____

das Einkaufszentrum,
-zentren _____

besitzen, er besitzt, hat
besessen _____

produzieren _____

träumen (von + D.)	
verzichten (auf + A.)	
altmodisch	
damals	

Sprichwörter

das Sprichwort, ⸚er	
die Erklärung, -en	
das Gold (Sg.)	
der Rat (Sg.) (*Ich gebe dir einen Rat.*)	
heilen	

andere wichtige Wörter und Wendungen

Acht geben	
herein|kommen, er kommt herein, ist hereingekommen	
brechen, er bricht, ist gebrochen (*Das Glas ist gebrochen.*)	

die Lücke, -n	
das Mitleid (Sg.) (*Ich habe Mitleid mit ihm.*)	
Du Armer! / Du Arme!	
besorgen (*Ich muss noch etwas im Supermarkt besorgen.*)	
der Alkohol (Sg.)	
betrunken	
bluten	
effektiv	
kühl (*Am Abend ist es kühl.*)	
niedrig	
reich	
meist	
vor allem (*v. a.*)	
Papa (*Hilfst du mir, Papa?*)	

Wichtig für mich:

_____

_____

_____

Sammeln Sie Wörter zu den Lebensphasen.

Kind sein — die Schulzeit — Hausaufgaben machen

das Berufsleben

die Familie

Rund um das Haus. Finden Sie zwölf Wörter in der Wortschlange.

UBSTROMCERHEIZUNGOPUFENSTERVBUWASCHMASCHINEMSABAUERNHOFPZTEL

GASWILBAUENTRUMZIEHENHIOEINRICHTENEFHANDWERKERLOXREPARIERENSFKÜCHEB

Gute Unterhaltung!

1 a **Welches Wort passt nicht? Streichen Sie.**

1. die Serie – die Folge – die Schauspielerin – das Konzert
2. das Schloss – der Sänger – das Gebäude – die Kirche
3. der Roman – der Kanal – das Video – das Spiel
4. der Autor – das Bild – der Bestseller – der Roman
5. die Malerin – das Museum – die Oper – das Bild

b **Schreiben Sie die Wörter ins Rätsel. Wie heißt das Lösungswort?**

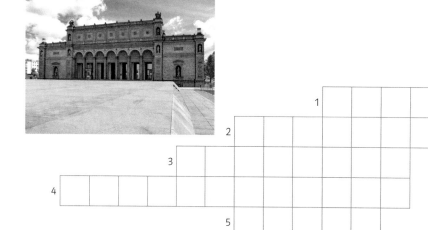

1. Erik Range arbeitet heute als Synchron…
2. Der Roman „Die unendliche …" von Michael Ende ist ein bekanntes Kinderbuch.
3. In die Kunsthalle Hamburg kommen jedes Jahr circa 400.000 …
4. In der Serie „Babylon Berlin" spielen viele bekannte …
5. Michael Ende ist der… von vielen Kinderbüchern.
6. Ein berühmtes … in Hamburg heißt Kunsthalle.
7. Erik Range zeigt auf seinem Kanal …, wie er Spiele spielt.

Lösung: Neuschwanstein ist ein berühmtes _____.

c **Machen Sie zu zweit ein Interview. Wählen Sie fünf Fragen.**

1. Welche Serie hast du mehrmals gesehen? Wie oft?
2. Welche Serie war am spannendsten?
3. Bei welcher Serie hast du am meisten gelacht?
4. Welche Serie hat dir nicht gefallen?
5. Welches berühmte Gebäude gefällt dir am besten?
6. In welchem berühmten Gebäude würdest du am liebsten leben?
7. Welches Buch hat dir am besten gefallen?
8. Was war dein Lieblingsbuch als Kind?
9. Welche Computerspiele spielst du gern?
10. Hast du einen Lieblingsmaler / eine Lieblingsmalerin? Wenn ja, welche/n?

2 a Lesen Sie die Informationen zu den Bauwerken. Kreuzen Sie dann an: richtig oder falsch?

Amphitheater Trier
Die größte historische Arena in Deutschland, über 1.800 Jahre alt; gebaut in der Römerzeit (ca. 150–200 n. Chr.), damals Platz für 18.000 Zuschauer; heute jeden Sommer Römerspiele, auch Konzerte von bekannten Sängern und Bands, wie zum Beispiel Tim Bendzko.

Berliner Fernsehturm
Das höchste Gebäude in Deutschland, 368 m hoch, im Zentrum Berlins; gebaut von 1965 bis 1969, Terrasse und Restaurant in 200 m Höhe, über eine Million Besucher pro Jahr; man kann auf dem Fernsehturm auch heiraten.

Karl-Marx-Hof
Das längste Wohngebäude der Welt: der Karl-Marx-Hof in Wien; das Gebäude ist 1.100 m lang, gebaut für Arbeiter und Arbeiterinnen; seit 1930 knapp 1.400 Wohnungen und auch Geschäfte, Kindergärten und Kaffeehäuser.

	richtig	falsch
1. Das Amphitheater in Trier ist fast zweitausend Jahre alt.	☐	☐
2. In der Arena finden heute keine Veranstaltungen mehr statt.	☐	☐
3. Auf dem Fernsehturm kann man essen und trinken.	☐	☐
4. Mehr als eine Million Menschen sind jedes Jahr auf dem Fernsehturm.	☐	☐
5. Im Karl-Marx-Hof gibt es nur Wohnungen.	☐	☐
6. Der Karl-Marx-Hof ist über einen Kilometer lang.	☐	☐

🔊
2.39–41

b Hören Sie. Was sagen die Personen? Kreuzen Sie an.

1. Lars findet, …
   - a dass das Amphitheater toll ist.
   - b dass das Amphitheater langweilig ist.

2. Bei den Römerspielen …
   - a gibt es Shows ohne moderne Technik.
   - b verwendet man die Technik von heute.

3. Die Viertel in Berlin sind …
   - a grün und einen Besuch wert.
   - b alle unterschiedlich.

4. Tina …
   - a findet das Restaurant im Fernsehturm sehr lecker.
   - b möchte beim nächsten Berlin-Besuch wieder dort essen.

5. Karim ist gern in Wien, weil …
   - a die Stadt ihn an seine Heimatstadt erinnert.
   - b das Angebot in der Stadt so groß ist.

6. Karim hat …
   - a oft seine Freunde zu sich eingeladen.
   - b die Zeit mit seiner Großmutter genossen.

Der Festivalbesuch

3 a **Ticket online kaufen. Was passt zu welchem Schritt beim Online-Kauf? Ordnen Sie die Wörter zu.**

Versandart | Zahlungsart | Ticketwahl | Warenkorb | Kontaktdaten

---

1. Ticketwahl ☒

Stehplatz	2 +
Sitzplatz Balkon	0 +
Sitzplatz Reihe 1–10	0 +
Sitzplatz Reihe 11–20	0 +

---

4. ☒

Bitte wählen Sie aus, wie Sie Ihr Ticket erhalten möchten:

☐ Online-Ticket (kostenlos)

☐ Versand per Post (+ 4,90 Euro Gebühr)

---

2. ☒

E-Mail-Adresse _____

Rechnungsinformationen

☐ Privatkunde   ☐ Firmenkunde

Name _____

Adresse _____

☐ Mobiltelefon   ☐ Telefon privat

Vorwahl _____   Rufnummer _____

---

5. ☒

☐ Kreditkarte

☐ Sofort-Überweisung

☐ Kauf per Rechnung

☐ Bitte stimmen Sie den AGB und der Datenschutzbestimmung zu.

---

3. ☒

2 x Milky Chance
Frankfurt Jahrhunderthalle
22. Juli

Zwischensumme   2 x 38,45 €
                                    76,90 €

inkl. 19 % Mwst. zzgl. Versandkosten
(netto 64,62 €)

! Abkürzungen

inkl. = inklusive
Mwst. = Mehrwertsteuer
zzgl. = zuzüglich
AGB = Allgemeine Geschäftsbedingungen

---

b **Der Ticketkauf. Hören Sie das Gespräch von Lina und ihrer Freundin. Notieren Sie die Antworten.**

2.42

1. Wann ist das Konzert? _____

2. Wie teuer sind die Tickets? _____

3. Wie zahlt Lina? _____

4. Wie möchte sie die Tickets bekommen? _____

c **Sie möchten zwei Karten für Milky Chance kaufen. Füllen Sie das Formular in 3a aus.**

4 a Ergänzen Sie *man*, *jemand* oder *niemand*.

1. __Man__ sieht ja gar nichts!

2. Hast du schon _____ gesehen?

3. Nein, es ist noch _____ auf der Bühne.

4. Hier hat _____ mehr Platz, es ist so voll!

5. Kann mir bitte _____ helfen?

6. _____ hilft mir, es ist schrecklich.

7. Es ist so laut, _____ kann gar nichts verstehen.

b Wie heißen die Sätze in Ihrer Sprache? Notieren Sie.

1. **Man** versteht ja nichts, es ist so laut. _____

2. Kann mir bitte **jemand** helfen? _____

3. **Niemand** hilft mir. _____

c *alles, etwas, nichts.* Was passt? Kreuzen Sie an.

1. Tolle Musik. Ich weiß aber nicht, ob die Texte gut sind.
Ich habe ☐ alles ☐ etwas ☐ nichts verstanden.

2. Hallo Schwesterchen! Bin schon unterwegs zum Konzert, hab' aber ☐ alles ☐ etwas ☐ nichts Wichtiges vergessen: Kannst du mein Ticket mitbringen? ☺ Danke!!!

3. Schönes Festival, tolle Bands! ☐ Alles ☐ Etwas ☐ Nichts ist super. Leider bald vorbei.

4. Das Konzert ist prima, aber ☐ alles ☐ etwas ☐ nichts passt nicht: das Wetter! Nur Regen.

!
alles – alle
Alles ist super. → Singular
Alle (Leute) sind nett. → Plural

5 a Aussprache: Rückfragen. Hören Sie und markieren Sie. Was ist in den Fragen betont?
2.43

1. ○ Gehen wir zum Festival in Leipzig?
● Wo ist das Festival?
○ In Leipzig.
2. ○ Das Festival ist im Juli.
● Wann ist das Festival?
○ Im Juli.

3. ○ Auf dem Festival spielt auch Mark Forster.
● Wer spielt da?
○ Mark Forster.
4. ○ Die Tickets kosten 62 Euro.
● Wie viel kosten die Tickets?
○ 62 Euro.

Ich komme aus Rom. *Woher kommst du?*

b Hören Sie die Gespräche aus 5a und stellen Sie die Rückfragen. Nehmen Sie sich mit dem Handy auf und vergleichen Sie die Aufnahmen.
2.44

c Arbeiten Sie zu zweit. Ihr Partner / Ihre Partnerin erzählt fünf Dinge über sich und sagt die Hauptinformation sehr leise. Sie verstehen schlecht und fragen nach.

6 a **Musiker und Musik. Welche Wörter sind das? Schreiben Sie sie mit Artikel und Plural.**

AL | BÜH | BUM | FES | GER | KER | KON | MU | NE | SÄN | SI | TI | VAL | ZERT

das Album, Alben _____ _____

_____ _____ _____

b **Lesen Sie die Sätze über Mark Forster und notieren Sie: Welche Sätze sind über den Musiker (M), welche über den Musikstil (S) und welche über seine Lieder (L)?**

1. Der Musiker kommt aus Süddeutschland. _____

2. Die Texte von seinen Liedern sind auf Deutsch. _____

3. Er macht seit über 10 Jahren Musik und kann auch gut Klavier spielen. _____

4. Es geht oft um Liebe, Gefühle oder einfach das Leben der Menschen. _____

5. Am besten gefällt mir „Sowieso", weil der Text echt witzig ist. _____

6. Die Musik ist meistens schnell und mit vielen Instrumenten. _____

7. Ich finde die Musik von Mark Foster toll, denn er macht schöne Popmusik. _____

c **Hören Sie die Informationen über Mark Forster und notieren Sie die Reihenfolge der Sätze in 6b.**

2.45

_7, ..._

Kurz gemeldet

7 a **Wählen Sie.**

A **Markieren Sie acht Verben in der Wortschlange und ergänzen Sie sie unten in der richtigen Form.**

B **Lesen Sie noch einmal den Text im Kursbuch, Aufgabe 7a und ergänzen Sie unten passende Verben aus dem Text in der richtigen Form.**

ALVERBRINGENGUSINGENTAPIWARTENOZKZEIGENDUAMUXANFANGENLO
PSDREINSCHLAFENALKSBEDANKENARATIKAUFENOLBUVRUM

1. Letzten Samstag war ich auf einem Flohmarkt und habe den ganzen Tag dort _verbracht_ _____.
   Die Verkäufer haben mir viele Sachen _____. Besonders schön fand ich ein
   kleines Bild. Das habe ich sofort _____.

2. Gestern war ich auf einem komischen Konzert. Es hat ganz normal _____ und
   war super. Aber dann konnte die Sängerin plötzlich nicht mehr _____, ihre
   Stimme war einfach weg. Die Band hat weitergespielt und das Publikum hat gesungen. Am Ende hat
   sich die Sängerin bei uns allen _____.

3. Gestern Abend war ich im Auto unterwegs und habe wie immer Radio gehört. Es war kurz vor acht
   und ich habe auf die Nachrichten _____. Als es dann acht Uhr war, ist nichts
   passiert. Es war einfach nur still. Ich glaube, der Radiosprecher ist _____.

b   **Ergänzen Sie das passende Relativpronomen.**

Guten Morgen, bist du schon wach?

Ja, ... so halb ... Gestern habe ich eine neue Serie angeschaut, (1) _____ seit einem Monat läuft. Kennst du „Run away"?

Ist das die Serie, (2) _____ schon einen Preis bekommen hat?

Genau, sie ist total lustig! Danach habe ich noch mit Luan gechattet.

Luan? Ist das dein Freund, (3) _____ in England lebt?

Ja, in London.

Ich habe gestern Sandra und Eva getroffen, (4) _____ gerade zu Besuch sind.

Sandra und Eva? Warum hast du mir nichts gesagt???

Weil du die Freundin bist, (5) _____ sich gleich freut! Schau mal aus dem Fenster, wir haben Frühstück mitgebracht ... ☺

c   **Schreiben Sie fünf Sätze.**

1. Kennst du Erik,
2. Lisa ist das Mädchen,
3. Frau Diazzi ist meine Nachbarin,
4. Ich sehe jeden Morgen einen Mann,
5. Ich bin die Person,

| der |
| das |
| die |

studieren / seit zwei Jahren / in Berlin / ?
gehen / oft / ins Kino / .
arbeiten / an einer Sprachenschule / .
hören / Musik / beim Joggen / laut / .
...

1. Kennst du Erik, der seit zwei Jahren ...

d   **Patrick zeigt seine Fotos. Welche Information fehlt? Ergänzen Sie die Relativsätze.**

 1    2    3    4    5

1. Das hier ist Lena, _die ein Eis isst_ _____ .

2. Und hier siehst du Tobias, _____ .

3. Kennst du den Mann, _____ ? Das ist Markus.

4. Das hier sind meine Nachbarn, _____ .

5. Bei uns sind oft Kinder, _____ .

8 a   **Was passt? Ordnen Sie zu.**

1. Gestern war ich mit Lena auf dem Flohmarkt, _C_

2. Da habe ich ein Bild gefunden, _____

3. Und das hier ist der Stuhl, _____

4. Wo sind die Gläser, _____

5. Ich treffe gleich den Mann, _____

A das ich unbedingt haben wollte.

B den ich gestern kennengelernt habe.

C den sie schon lange toll findet.

D den ich auf dem Flohmarkt gekauft habe.

E die Lena gestern gekauft hat?

> **!**
> Der Kasus vom Relativpronomen hängt vom Verb im Relativsatz ab:
> *kaufen* + Akkusativ →
> *Das ist der Stuhl, **den** ich gekauft habe.*

b   **Nominativ oder Akkusativ? Kreuzen Sie an.**

1. Meine Lieblingsband kommt endlich wieder nach Leipzig. Ich habe schon lange auf das Konzert gewartet, ☐ den ☐ das letztes Jahr leider ausgefallen ist.
2. Zum Konzert gehe ich mit einem Freund, ☐ der ☐ den ich schon sehr lange kenne.
3. Er ist ein Mensch, ☐ der ☐ den immer lustig ist.
4. Wir waren schon zusammen in der Schule und hatten viele Lehrer, ☐ die ☐ der uns oft gesagt haben, dass wir leise sein sollen.
5. Wir haben auch noch Kontakt zu anderen Leuten, ☐ das ☐ die in unserer Klasse waren.
6. Vielleicht kommt Laura, ☐ den ☐ die ich immer noch oft treffe, auch mit zum Konzert.

   c   **Relativsätze in Ihrer Sprache. Was ist gleich, was ist anders? Sprechen Sie zu zweit.**

d   **Ergänzen Sie die Relativpronomen.**

Auf dem Bild sieht man einen Mann, (1) _____ ein Bild malt. Eine Frau steht vor einem Bild, (2) _____ sie vielleicht kaufen möchte. Hinter dem Mann sind Bilder an der Wand, (3) _____ alle gleich aussehen: Auf allen Bildern sind Linien, (4) _____ von links unten nach rechts oben gehen. Der Mann, (5) _____ die Frau wahrscheinlich etwas gefragt hat, erklärt etwas.

Der Mann sagt, dass er die Bilder vor allem an Manager verkauft, (6) _____ sehr gerne solche Linien sehen.

"DIE MEISTEN MEINER KUNDEN SIND AKTIONÄRE, VERTRIEBSLEITER UND MANAGER."

e   **Wie kann man es noch sagen? Bilden Sie aus den zwei Hauptsätzen einen Hauptsatz mit eingeschobenem Relativsatz.**

1. Ich mag meine Nachbarn sehr gerne. Ich kenne sie gut.
2. Der Schauspieler wohnt im dritten Stock. Ich habe ihn gestern im Theater gesehen.
3. Die Kinder sehe ich jeden Morgen. Sie laufen immer zum Bus.
4. Der Student heißt Luis. Er kommt aus Argentinien.
5. Mona wohnt im zweiten Stock. Sie hat mir ein tolles Buch zum Geburtstag geschenkt.

1. Ich mag meine Nachbarn, die ich gut kenne, sehr gerne.

9 a Arbeiten Sie zu zweit. Fragen Sie abwechselnd, wie im Beispiel.

A

Herr Basurto	Herr Kunz	Frau Dibra
Schauspieler Ich habe ihn letzte Woche im Theater gesehen.		Sängerin Sie singt jeden Tag unten am Fluss.
Frau Liau	**Frau Ramin**	**Herr Groß**
	Architektin Sie baut Hochhäuser mit grünen Terrassen.	
Herr Jama	**Frau Kim**	**Frau Pauli**
Comic-zeichner Ich finde ihn wirklich super.		Bloggerin Sie schreibt über Kunst-ausstellungen.

B

Herr Jama	Frau Kim	Frau Pauli
Malerin Sie malt Bilder von Tieren.		Musikerin Ich mag sie sehr gern.
Frau Liau	**Frau Ramin**	**Herr Groß**
	Tänzer Ich treffe ihn jeden Morgen beim Joggen.	
Herr Basurto	**Herr Kunz**	**Frau Dibra**
	Autor Er hat die besten Ideen unter der Dusche.	

Wer ist Herr Basurto?

Herr Basurto ist der Schauspieler, den ich …

2.46

b Hören und ergänzen Sie die Satzzeichen.

Gestern war ich auf einem Konzert Der Sänger der sehr beliebt ist war aber nicht da Alle haben lange gewartet aber dann haben die Leute gerufen Wo ist er   Wann kommt er und Anfangen Nach einer Stunde war er endlich da Er hatte einen Unfall aber zum Glück ist ihm nichts passiert Das Konzert war noch super und er hat lange gespielt

> **!**
>
> **Satzzeichen**
> . = Punkt
> , = Komma
> ? = Fragezeichen
> ! = Ausrufezeichen
> : = Doppelpunkt
> „" = Anführungszeichen (unten/oben)

c Arbeiten Sie zu zweit und machen Sie ein Partnerdiktat. Diktieren Sie auch die Satzzeichen. Kontrollieren Sie anschließend den Text von Ihrem Partner / Ihrer Partnerin.

A
Julia war letzte Woche auf einem Konzert von Mark Forster, den sie schon lange gut findet. Ihre beste Freundin, die sie seit dem Kindergarten kennt, war auch dabei. Mark Forster hat fast drei Stunden eine tolle Show gezeigt und die beiden Freundinnen waren begeistert. Julia meint: „Nächstes Mal sind wir natürlich wieder dabei!"

B
Ramos geht gern ins Kino, am liebsten ins „Alfa". Warum mag er besonders dieses Kino? Ganz einfach: Hier laufen auch Filme, die nicht so bekannt sind, das Kino ist bequem und Ramos wohnt nicht weit weg vom Kino. Oft geht er mit seinen Freunden ins Kino und danach sprechen sie meistens noch über den Film.

Malerei gestern und heute

🔊 **10 a   Sehen Sie die Anzeigen an und hören Sie das Gespräch von Anna und Robert. Wo sind sie?**
2.47   **Kreuzen Sie an.**

Kunsthalle *Die Frau in der Kunst – von der Antike bis heute* Täglich Führungen um 16 Uhr A ☐	**OFFENER MUSEUMSTAG** **Kunst selbst machen!** Zusammen mit einem Künstler malen oder zeichnen Sie selbst ein Kunstwerk! B ☐	Ausstellung Moderne Kunst des 21. Jahrhunderts Videoinstallationen und Bilder Öffnungszeiten 10–22 Uhr C ☐	**Städtische Kunstgalerie** Kunst des 19. und 20. Jahrhunderts Sonderausstellung: Die deutsche Romantik D ☐

b   Wem gefällt was? Hören Sie noch einmal und notieren Sie A für Anna, R für Robert und B für beide.

1. Bild mit Frau und Kind _____   3. buntes Bild _____   5. Maschinen _____

2. Video _____   4. alte Künstler _____

✎ **c   Und Sie? Welches Museum oder welche Ausstellung finden Sie interessant? Schreiben Sie eine kurze Mail an einen Freund / eine Freundin und empfehlen Sie ihm/ihr einen Besuch.**

11 a   Wie heißen die Farben richtig? Notieren Sie. Ordnen Sie dann zu.

1. BELG _____   7. WRASCHZ _____

2. SARO _____   8. RANEGO _____

3. RÜNG _____   9. ULBA _____

4. RUGA _____   10. IßWE _____

5. LHELRÜNG _____

6. NUUBELLDAK _____

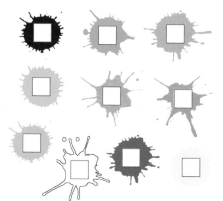

🔊 **b   Hören Sie die Bildbeschreibung und zeichnen Sie. Vergleichen Sie am Ende zu zweit.**
2.48

c   Vergleichen Sie die beiden Fotos und notieren Sie fünf Unterschiede.

Auf Bild A stehen rechts oben Blumen, auf Bild B sind die Blumen in der Mitte.

R1   **Welche Musik hören Sie gern? Suchen Sie zwei Partner/Partnerinnen mit dem gleichen Musikgeschmack. Sprechen Sie: Wann hören Sie die Musik und was gefällt Ihnen?**

		☺☺	☺	☺	☹	KB	ÜB
🗨	Ich kann über Musik sprechen.	☐	☐	☐	☐	6a	

R2   **Was ist typisch für die Person? Ergänzen Sie die Relativsätze.**

1. Morgen treffe ich Mirjam, (gern Sport machen) *die gern Sport macht* .

2. Neben uns wohnt ein Kind, (viele Freunde haben) _____.

3. Ist das nicht der Junge, (du oft sehen) _____?

4. Attila und Thilo sind Schüler, (kein Eis mögen) _____.

		☺☺	☺	☺	☹	KB	ÜB
✏	Ich kann genauere Informationen zu Personen geben.	☐	☐	☐	☐	7c–d, 8, 9	7d, 8, 9

R3   **Lesen Sie die Nachrichten und notieren Sie die Antworten auf die Fragen.**

A
Hi Anja, ich komme gerade aus der Ausstellung im Kunstbau: „Meister der Natur". Die ist super, die musst du dir unbedingt ansehen. Es gibt ganz tolle Bilder, Fotos und Videos, die die Natur zeigen. Manche sind einfach wunderschön, andere überraschend oder kritisch und manche auch lustig!

B
Hi Martin, das ist ja lustig! Ich bin auch im Museum: im Automuseum, mal was anderes. Die alten Autos finde ich wirklich toll! Die vielen Informationen über Technik habe ich nicht gelesen, aber die Zeichnungen und Pläne für neue Automodelle finde ich interessant.

1. Welches Museum? _____

2. Was ist dort? _____

3. Wie war es? _____

1. Welches Museum? _____

2. Was ist dort? _____

3. Wie war es? _____

		☺☺	☺	☺	☹	KB	ÜB
🔊	Ich kann Informationen und Meinungen über Kunst verstehen.	☐	☐	☐	☐	10a–c	10a–b

	Außerdem kann ich ...	☺☺	☺	☺	☹	KB	ÜB
📖🔊	... kurze Infotexte verstehen.	☐	☐	☐	☐	1, 3	2a
🗨	... über etwas berichten, das mir gut gefällt.	☐	☐	☐	☐	2, 6c	
✏	... Konzertkarten online kaufen.	☐	☐	☐	☐		3
🗨📖	... einen Festivalbesuch planen.	☐	☐	☐	☐	4	
🗨	... eine/n Musiker/in / eine Band vorstellen.	☐	☐	☐	☐	6b	
🔊	... Informationen über einen Musiker verstehen.	☐	☐	☐	☐		6c
📖	... Zeitungsmeldungen verstehen.	☐	☐	☐	☐	7a–b	7a–b
✏	... eine Mail über einen Museumsbesuch schreiben.	☐	☐	☐	☐		10c
🗨	... über Bilder sprechen.	☐	☐	☐	☐	10d	
📖🔊	... eine Bildbeschreibung verstehen.	☐	☐	☐	☐	11a	11b
✏	... ein Bild beschreiben.	☐	☐	☐	☐	11b	

Gute Unterhaltung!

die Unterhaltung (Sg.)
(*Wir wünschen Ihnen gute Unterhaltung!*) _____

die Gesellschaft, -en _____

das Werk, -e _____

das Schloss, ̈-er _____

der König, -e _____

die Königin, -nen _____

die Führung, -en *(Wir haben im Museum eine Führung mitgemacht.)* _____

der Roman, -e _____

der Bestseller, - _____

jährlich _____

die Verfilmung, -en _____

meist- *(der meist-abonnierte Video-Kanal)* _____

Festivalbesuch

das Festival, -s _____

live _____

der Hit, -s _____

der Musikstil, -e _____

Pop _____

Rap _____

Rock _____

rockig _____

Elektro _____

melodisch _____

die Stimmung, -en _____

der Campingplatz, ̈-e _____

die Übernachtung, -en _____

die Verpflegung, -en _____

der Rucksack, ̈-e _____

ein Ticket online kaufen

der Kauf, ̈-e _____

der Stehplatz, ̈-e _____

der Sitzplatz, ̈-e _____

die Reihe, -n _____

der Warenkorb, ̈-e _____

netto _____

die Mehrwertsteuer (Sg.) *(Mwst.)* _____

zuzüglich *(zzgl.)* _____

inklusive *(inkl.)* _____

die Vorwahl, -en _____

Mobil- *(die Mobilnummer)* _____

der Versand (Sg.) _____

die Versandkosten (Pl.) _____

die Gebühr, -en _____

die Zahlungsart, -en _____

die Überweisung, -en _____

Meldungen

die Meldung, -en _____

der/die Prominente, -n _____

der Nachrichtensprecher, - _____

die Nachrichtensprecherin, -nen _____

der Hörer, - _____

die Hörerin, -nen _____

die Sendung, -en _____

der Einsatz, ̈-e _____

die Stimme, -n _____

die Stille (Sg.) _____

verschlafen, er verschläft, hat verschlafen _____

der Sammler, - _____

die Sammlerin, -nen _____

das Schnäppchen, - *(Nur 5 Euro? Das ist ein Schnäppchen!)* _____

der Wert, -e _____

wertvoll *(Das Bild ist sehr wertvoll.)* _____

befreundet *(Er ist mit einer Kunstexpertin befreundet.)* _____

bestätigen _____

das Quiz, -ze _____

Malerei

die Malerei (Sg.) _____

der Titel, - *(Auf dem Bild mit dem Titel „Abend" sieht man …)* _____

die Bedeutung, -en _____

der Ausblick, -e *(Von hier hat man einen tollen Ausblick auf das Meer.)* _____

das Blatt, ⸚er _____

hübsch _____

verrückt *(Ich finde die Farben auf dem Bild ein bisschen verrückt.)* _____

uninteressant _____

abstrakt _____

der Vordergrund, ⸚e *(im Vordergrund)* _____

davor _____

der Hintergrund, ⸚e *(im Hintergrund)* _____

dahinter _____

die Stelle, -n *(Das Bild zeigt die Stelle, wo heute der Supermarkt ist.)* _____

hell- *(Die Blätter sind hellgrün.)* _____

dunkel- *(Der Himmel ist dunkelblau.)* _____

ab|malen _____

andere wichtige Wörter und Wendungen

die Kriminalität (Sg.) _____

die Gewalt (Sg.) _____

wild *(Das war eine wilde Zeit.)* _____

gut/schlecht gelaunt sein _____

-jährig *(Er hat eine zweijährige Tochter.)* _____

knapp _____

unendlich _____

abschließend _____

insbesondere _____

auf|fallen, er fällt auf, ist aufgefallen *(Was fällt dir an dem Bild auf?)* _____

erhalten, er erhält, hat erhalten _____

die Hauptrolle, -n *(Sie spielt die Hauptrolle in meinem Lieblingsfilm.)* _____

der Wanderer, - _____

die Wanderin, -nen _____

die Realität (Sg.) _____

die Rückfrage, -n _____

unter anderem *(u. a.)* _____

wie immer _____

Wichtig für mich:

_____

_____

_____

Beschreiben Sie das Bild. Was ist wo? Wie ist die Stimmung?

_____

_____

_____

_____

_____

Prüfungstraining

Lesen: Teil 3 – Eine E-Mail verstehen

P
GZ

1 **Machen Sie den Prüfungsteil** *Goethe-Zertifikat A2*, **Lesen, Teil 3.**

Teil 3   Sie lesen eine E-Mail.
Wählen Sie für die Aufgaben 1 bis 5 die richtige Lösung a̅ , b̅ oder c̅.

Liebe Valerija,   ☒

seit zwei Monaten will ich dir schreiben, aber es ist immer so viel los! Seit vier Wochen bin ich im Verein für Taucher. Wir treffen uns immer freitags um 19 Uhr. Das passt sehr gut, denn am Freitag fange ich immer schon um 6:00 Uhr im Büro an und bin dann mittags mit der Arbeit fertig.

Bei dem Treffen haben wir zuerst eine Stunde Unterricht, da müssen wir ganz schön viel lernen und auf die Prüfung am Ende muss ich mich gut vorbereiten. Wir lernen alles über das Tauchen und viele wichtige Sachen wie: Was passiert beim Tauchen mit dem Körper? Wie kann man gefährliche Situationen erkennen? … Das ist echt spannend. In der zweiten Stunde gehen wir dann ins Schwimmbad und machen Übungen, was ich immer sehr aufregend finde. Leider ist die Zeit im Wasser immer ganz schnell vorbei. Ab April ist es endlich nicht mehr so kalt und wir können mit dem Tauchen im See anfangen, darauf freue ich mich schon sehr.

Nach dem Tauchen gehe ich meistens noch mit ein paar Leuten aus dem Kurs in ein Restaurant. Wenn der Trainer mitkommt, ist es immer besonders lustig. Mit Maria verstehe ich mich total gut. Sie ist wirklich sehr cool und wir wollen am Wochenende einen Ausflug machen.

Ich freue mich sehr, dass du im Sommer zu mir kommst und wir uns wiedersehen. Vielleicht möchtest du ja mit mir im See tauchen gehen? Du tauchst ja auch seit vielen Jahren. Aber Achtung, das Wasser ist nicht so warm wie im Meer bei dir …

Ganz liebe Grüße nach Kroatien und bis bald

Ayla

---

1   Die Teilnehmer treffen sich …
a̅ jeden ersten Freitag im Monat morgens.
b̅ jeden zweiten Freitag am Mittag.
c̅ wöchentlich am Freitagabend.

2   Ayla findet, dass sie in den Unterrichtsstunden …
a̅ einfache Dinge lernen.
b̅ viele interessante Informationen bekommen.
c̅ viele langweilige Themen besprechen.

3   Ayla findet das Training im Wasser …
a̅ immer sehr kalt.
b̅ sehr spannend.
c̅ zu lang.

4   Nach dem Kurs …
a̅ geht Ayla mit Maria etwas trinken.
b̅ gehen einige Teilnehmer noch zusammen essen.
c̅ trifft sich Ayla mit dem Trainer.

5   Im Sommer …
a̅ beginnt das Training im See.
b̅ kommt Valerija zu Besuch.
c̅ will Ayla ans Meer fahren.

Lesen: Teil 3 – Anzeigen verstehen

P
SD

2 **Machen Sie den Prüfungsteil *telc Deutsch A2*, Lesen, Teil 3.**

Teil 3 Lesen Sie die Anzeigen a–h und die Aufgaben 1–5. Welche Anzeige passt zu welcher Situation? Für **eine** Aufgabe gibt es keine Lösung. Schreiben Sie hier den Buchstaben X.

Beispiel

0 Sie wollen nicht mehr zu Hause arbeiten und suchen einen Büroraum.   Lösung: Anzeige d

Situation	0	1	2	3	4	5
Anzeige	d					

1 Ihr Haus ist schon alt. Sie suchen jemanden, der es renoviert.

2 Sie gehen zwei Jahre ins Ausland und möchten Ihre Wohnung für diese Zeit vermieten.

3 Es ist Samstagabend und Sie stehen vor Ihrer Tür. Sie finden Ihren Wohnungsschlüssel nicht.

4 Sie machen für sechs Monate ein Praktikum in Köln und suchen ein Zimmer im Zentrum.

5 Sie möchten, dass sich jemand um Ihre Katze kümmert, wenn Sie im Urlaub sind.

---

a

Wir suchen Dich!

WG mitten in Köln sucht netten Mitbewohner für mindestens ein halbes Jahr. **Haustiere erlaubt!**

Zimmer für 250 € inkl. NK, Tel.: 0221-43189294

---

b

Tornlach – Der Baumarkt in Köln

Wohnung modernisieren – Wände wie neu – modernes Bad

Bei uns finden Sie alles, was Sie brauchen!

---

c

Ihr Schlüssel zum Glück!

Zu verkaufen:
3-Zimmer-Wohnung, zentrale Lage

www.schluesselzumglueck.de

---

d

Architekturbüro bietet Arbeitsraum

*Wir vermieten ein Bürozimmer:
ca. 20 qm und sehr hell.*

0221/458990114

---

e

15 Jahre Erfahrung

* Häuser und Wohnungen modernisieren
* Malerarbeiten in Ihrer Wunschfarbe
* Professionell, zuverlässig, fair

Tel: 0221/7831000

---

f

Schnell – kompetent

**24 Stunden täglich für Sie da.
Für Sie öffnen wir alle Türen!**

*Schlüsseldienst Kirchner 0221-892199 oder
0172-903101283*

---

g

Mein Service für Sie

Ich bin 22 Jahre alt, tierlieb und sehr zuverlässig.
Ich kümmere mich um Ihre Haustiere.
0156 – 898983331 oder mitzi@gxm.de

---

h

EIN HERZ FÜR TIERE

Viele Katzen und Hunde suchen ein neues Zuhause. Wir beraten Sie gerne – kommen Sie zu uns.

Ihr Team vom Tierheim Nürnberg

Hören: Teil 2 – Ein zusammenhängendes Gespräch verstehen

P
GZ

3 Machen Sie den Prüfungsteil *Goethe-Zertifikat A2*, Hören, Teil 2.

🔊
2.49

Teil 2   Sie hören ein Gespräch. Sie hören den Text **einmal**.

Wer möchte was machen?

Wählen Sie für die Aufgaben 1 bis 5 ein passendes Bild aus a bis i.
Wählen Sie jeden Buchstaben nur einmal. Sehen Sie sich jetzt die Bilder an.

	0	**1**	**2**	**3**	**4**	**5**
Person	Laura	Zeno	Tina	Sonja	Miro	Elena
Lösung	h					

Schreiben: Teil 2 – Eine einfache persönliche E-Mail schreiben

P
GZ

4 Machen Sie den Prüfungsteil *Goethe-Zertifikat A2*, Schreiben, Teil 2.

Teil 2   Ihr Kollege, Herr Linner, möchte mit Ihnen zusammen einen Sportkurs in der Mittagspause besuchen. Schreiben Sie Herrn Linner eine E-Mail:

– Sagen Sie, dass Sie mitkommen.
– Fragen Sie ihn, was Sie mitbringen sollen.
– Fragen Sie nach dem genauen Ort und der Uhrzeit.

Schreiben Sie 30–40 Wörter.
Schreiben Sie zu allen drei Punkten.

Sprechen: Teil 3 – Etwas aushandeln

P
GZ/SD

5 **Machen Sie den Prüfungsteil** *Goethe-Zertifikat A2 / telc Deutsch A2*, **Sprechen, Teil 3.**

Teil 3   Sie wollen Ihrer Chefin Karten für ein Konzert schenken. Sie möchten sich mit einem Kollegen / einer Kollegin in der Stadt treffen und die Karten gemeinsam kaufen. Finden Sie einen Termin. Machen Sie Vorschläge.

Prüfungsteilnehmer/-in A

Samstag, 25. Juni

7:00	
8:00	
9:00	→ ausschlafen!!!
10:00	
11:00	11:30 Tom holt Grill und Campingstühle
12:00	
13:00	lernen für Abschlussprüfung
14:00	
15:00	Reisetasche kaufen
16:00	
17:00	
18:00	grillen bei Tom
19:00	
20:00	

Prüfungsteilnehmer/-in B

Samstag, 25. Juni

7:00	
8:00	
9:00	Wochenmarkt am Hallerplatz
10:00	Trainerstunde Tennis
11:00	
12:00	Mittagessen „Café Hedwig" mit Ella
13:00	
14:00	Klavier üben
15:00	Wohnung aufräumen, Bad putzen
16:00	
17:00	17:30 Kinder von Geburtstagsfest abholen
18:00	
19:00	Filmfestival im Leo-Kino: „Tuyä"
20:00	

Redemittel

A2 K1

sich vorstellen

Ich komme aus … / Ich lebe jetzt in …
Meine Eltern / Mein Bruder / Meine Schwester …
Ich bin verheiratet/geschieden/ledig.
Ich habe ein Kind / keine/zwei/… Kinder.
Ich habe eine Ausbildung zum/zur … gemacht. / Ich arbeite als … / Ich studiere …
In der Freizeit mache/gehe/spiele/… ich … / Ich … gern.
Ich spreche Deutsch/Englisch/… / Ich habe Deutsch/Englisch/… gelernt.

sich verabreden / gemeinsam etwas planen

A2 K1, K9, K11

Vorschläge machen

Gehen wir zusammen …?
Ich möchte …
Ich gehe … Kommst du mit?
Hast du auch Lust?
Hast du am/um … Zeit?
Darf ich etwas vorschlagen? Wir können …
Ich habe eine Idee: …
Ich habe da einen Vorschlag: Wir …
Was denkst du, sollen wir …?
Wir könnten …
Wollen wir …?

einen Gegenvorschlag machen

Wollen wir nicht lieber …?
Wir könnten doch auch …
Ich habe eine andere Idee. Vielleicht …

zusagen/zustimmen

Super, das ist eine (sehr) gute
    Idee.
Oh ja / Klar, gern.
Einverstanden.
Okay, das machen wir.
Ja, das passt (mir gut).
Ja, da kann ich.
Ich finde, … ist gut.
Ja, das wäre super.
Genau!

absagen/ablehnen

Ich möchte gern, aber …
Tut mir leid, ich habe keine Lust/Zeit.
Schade, da / am … geht es leider
    nicht.
Da / Am … kann ich leider nicht,
    weil …
Das geht bei mir leider nicht.
Das finde ich nicht so gut.
Nein, das schaffe ich leider nicht.
Nee, lieber nicht.

nachfragen

Wann möchtest du …?
Wann / Um wie viel Uhr geht es los?
Geht es auch (ein bisschen) früher/
    später?
Kann ich … mitbringen?
Geht das bei dir/euch?
Passt dir/euch das?
Einverstanden?

die eigene Meinung ausdrücken

A2 K2, K3, K7

allgemein

Ich bin der Meinung, dass …
Ich meine (nicht), dass …
Ich finde (nicht), dass …
Ich denke (nicht), …
Ich glaube (nicht), …
…, denke/finde ich.
Das ist meine Meinung.

positiv

Ich bin für … / dafür, weil …
Ich finde … gut/toll/…, weil …
… ist sehr interessant.
Ich denke, das ist richtig, weil …
Für mich ist … gut/praktisch/
    sinnvoll/…
Es ist gut/…, dass …
Ich finde es gut/wichtig/interessant,
    dass …
Ich mag es, dass …
Ich bin froh/glücklich/…, dass …

negativ

Ich bin gegen … / dagegen, weil …
Ich finde … keine gute Idee, weil …
Ich glaube, … funktioniert nicht.
Ich finde nicht gut / schlecht, wenn
    man …
Für mich ist … schlecht/unpraktisch /
    nicht sinnvoll/ …
Es ist schlecht/…, dass …
Ich finde es nicht gut / unwichtig /
    nicht so interessant, dass …
Ich mag es nicht, dass …
Ich bin unglücklich/…, dass …

zustimmen	ablehnen	**A2 K2**
Das stimmt.	Das stimmt nicht.	
Das ist richtig.	So einfach ist das nicht.	
Genau.	Das sehe ich anders.	
Das ist eine super Idee.	Ich denke, das geht nicht.	

Wünsche äußern   **A2 K11**

Ich wäre gern …
Wir hätten gern …
Er würde gern …

Ratschläge geben   **A2 K8, K11**

Mach/Sprich/Geh …
Du solltest …
Man sollte …
Du kannst …
Du könntest …
Ich würde …
An deiner Stelle würde ich …

Informationen erfragen   **A2 K7**

Könnten Sie / Könntest du mir sagen, …?
Darf ich (Sie/dich) fragen, …?
Können Sie / Kannst du mir sagen, …?
Ich möchte gern wissen, …
Entschuldigung, wissen Sie / weißt du, …?
Mich interessiert, …

höflich um etwas bitten   **A2 K5**

☺ Gib mir bitte …	Holt bitte …	Sprechen Sie bitte …
☺ Kannst du bitte …?	Könnt ihr bitte …?	Können Sie bitte …?
☺☺ Könntest du bitte …?	Könntet ihr bitte …?	Könnten Sie bitte …?

um einen Gefallen bitten   **A2 K10, K11**

Könnten Sie / Könntest du mir einen Gefallen tun? …
Könnte ich / Könntest du / Könnten Sie …?
Ich wollte Sie/dich fragen, ob …
Ich hätte eine Bitte: …
Denken Sie / Denkst du an …?
Kümmern Sie sich / Kümmerst du dich um …?
Würden Sie / Würdest du bitte …?

auf eine Bitte reagieren   **A2 K10**

Ja, gerne.
Kein Problem!
Natürlich, das mache ich gern.
Schade, das geht leider nicht.

sich beschweren
A2 K10

Entschuldigung, könnten Sie / könntest du bitte …?
Das geht wirklich nicht.
Sie können / Du kannst doch nicht …
Es stört mich, wenn …

sich entschuldigen
A2 K10

Das tut mir leid.
Das kommt nicht mehr vor.
Entschuldigung.
Verzeihung.

über Gefühle sprechen
A2 K4

Ich bin glücklich/unglücklich/nervös/traurig/genervt/sauer, wenn …
Wenn …, freue ich mich.
Wenn …, habe ich Angst.

Freude/Begeisterung ausdrücken
A2 K4, K9

Das gibt's doch nicht!
Ich freue mich auch!
Das ist ja toll!
Ich freue mich riesig.
So ein Glück!
So toll!
Das war großartig.
Wahnsinn!
Einfach mega!
Unglaublich – einfach genial!
Ich glaub' es nicht, das ist super!

Hoffnung ausdrücken
A2 K9

Ich habe ein gutes Gefühl!
Das nächste Mal klappt es bestimmt.
Ich hoffe, dass wir heute gewinnen.
Hoffentlich schaffen sie es!

Bedauern/Enttäuschung ausdrücken
A2 K4, K9

Schade! / Das ist echt schade.
Das tut mir (wirklich) leid.
Entschuldige, …
So ein Pech! / So ein Mist!
Das kann/darf doch nicht wahr sein!
Echt blöd!
Das ist wirklich eine Katastrophe.

beruhigen
A2 K4

Das macht (doch) nichts.
Keine Sorge. Es geht schon wieder.
Hauptsache, wir feiern jetzt.
Es ist alles okay.

Glückwünsche aussprechen A2 K4

Viel Glück! / Alles Gute! / Alles Liebe!
Wir gratulieren dir/euch/Ihnen sehr herzlich zu …
Herzlichen Glückwunsch zur Hochzeit / zum Geburtstag / zu …

sich bedanken A2 K4

Danke! / Danke sehr! / Danke schön für …!
Herzlichen Dank für die Glückwünsche und Geschenke zu unserer Hochzeit / zu meinem Geburtstag / zu …
Tausend Dank für die Einladung zu …

Kommentare schreiben A2 K2

Das kann ich gut verstehen. Ich habe auch …
Das kenne ich auch/gut.
Das war bei mir auch so / nicht so.
Das ist interessant, denn ich …
Das ist ja lustig/schrecklich/…!
Das überrascht mich, weil …

auf Informationen reagieren A2 K10

Ich finde interessant, dass …
Ich habe auch schon gehört, dass …
Mich hat überrascht, dass …
Für mich ist neu, dass …
Ich habe nicht gewusst, dass …
Das ist bei uns ganz anders / genauso.

eine Grafik beschreiben A2 K7

… Prozent brauchen weniger/mehr als …
Die meisten / Nur wenige brauchen/finden/sind …
Über … Prozent / Nur … Prozent finden/denken …

eine kurze Präsentation halten A2 K8

Einleitung	Hauptteil	Schluss
Ich möchte Ihnen/euch … vorstellen: …	Zum ersten/zweiten/… Punkt: …	Kurz gesagt: …
Mein Thema ist …	Ich gebe Ihnen/euch ein Beispiel: …	Vielen Dank.
Ich habe das Thema … gewählt, weil …	Mir gefällt besonders, dass …	Haben Sie / Habt ihr Fragen?
Zuerst spreche ich über …, dann über …	Ich finde wichtig, dass …	Gibt es noch Fragen?

eine Universität oder Ausbildung präsentieren A2 K2

Die Universität in … gibt es seit …	Die Ausbildung zum/zur … dauert …
Sie hat … Studenten.	Man macht die Ausbildung in einem Büro / einer Werkstatt / …
Man kann dort zum Beispiel … studieren.	In der Ausbildung lernt man …
Sie ist bekannt für …	

einen Musiker / eine Musikerin / eine Band vorstellen A2 K12

Band / Musiker/in	Musikstil	Lieder
Sie heißen … / Er/Sie heißt …	Die Musik ist rockig/schnell/langsam/melodisch/…	Ein bekanntes Lied heißt …
… gibt es seit … / … macht seit … Musik.	Sie spielen Rock/Hardrock/Pop/Rap/Elektro/…	In den Liedern geht es oft um …
Die Band hat … Mitglieder.	Ich finde die Musik toll, denn …	Er/Sie hatte / Sie hatten viele/wenige Hits.
Sie kommen / Er/Sie kommt aus …		Am besten gefällt mir das Lied …, weil …
Am liebsten höre ich ihn/sie, wenn …		

über ein Ereignis / eine Veranstaltung sprechen

… ist bekannt für …
… findet immer im Juni/Herbst/… statt.
… Menschen besuchen die Veranstaltung.
Man kann dort … sehen/machen/essen/hören/…
Es gibt dort (immer) …
… endet mit …
… macht (sicher) Spaß, weil …
Das Fest / Die Veranstaltung ist kostenlos. / Ein Ticket kostet …

eine Stadt beschreiben

Die Stadt ist groß / nicht so groß / klein.
… Menschen leben in …
… liegt im Norden/Süden/Osten/Westen von …
Mir ist wichtig, dass …
Ich finde gut/wichtig, dass …
Mir gefällt besonders / nicht so gut, dass …
Zum Beispiel gefällt mir (nicht), dass …
Ich finde schön / weniger schön, dass …
… finde ich (nicht so) gut, weil …

einen Film beschreiben

Der Film heißt …
Der Film erzählt die Geschichte von …
Die Geschichte spielt in …
Die Hauptperson ist / Die Hauptpersonen sind …
Es geht um …
Der Film zeigt, dass …

einen Film kommentieren

positiv	**negativ**
Der Film ist/war (sehr) toll/lustig/ spannend/…	Der Film hat mir überhaupt nicht gefallen.
Ich finde den Film sehr gut / super/…	Die Handlung ist nicht logisch.
Der Film hat mir sehr gut gefallen.	Der Film ist (ein bisschen) langweilig/…
Die Geschichte war sehr interessant.	Ich finde, dass der Film sehr lang war.
Die Filmmusik war sehr gut.	Die Schauspieler haben nicht gut gespielt.
… hat wirklich toll gespielt.	Das Ende hat mir nicht so gut gefallen.
Ich finde, die Schauspieler waren super.	

über die Schulzeit sprechen

Wie lange musstest du Hausaufgaben machen?	Zwei Stunden am Tag.
Konntest du am Wochenende Sport machen?	Ja, da hatte ich Zeit.
Durftest du am Abend Freunde treffen?	Nein, nur am Wochenende.
Musstest du eine Schuluniform tragen?	Nein, ich konnte meine Kleidung selbst wählen.

ein Bild beschreiben

Auf dem Bild mit dem Titel … von … sieht man …
Unten/Oben/Vorne/Hinten ist/sind …
Im Vordergrund / Im Hintergrund / In der Mitte / In der Ecke ist/sind …
Links/Rechts (von) … steht/liegt/…

über ein Bild sprechen

… ist schön bunt / lustig / …
… hat hübsche Farben / ist zu dunkel/hell.
… finde ich kreativ/uninteressant/komisch/langweilig/…
… sieht realistisch/abstrakt/originell/… aus.
… ist eine witzige/verrückte/… Idee.

telefonieren

Anrufer/in
Kann ich bitte mit Herrn/Frau … sprechen?
Können Sie mich bitte mit Herrn/Frau …
  verbinden?
Kann ich eine Nachricht für Herrn/Frau …
  hinterlassen?
Können Sie mir bitte die Durchwahl geben?
Mit wem kann ich denn sprechen?

Firma
Herr/Frau … ist gerade nicht am Platz.
Herr/Frau … ist unterwegs / außer Haus.
Möchten Sie eine Nachricht hinterlassen?
Können Sie später noch einmal anrufen?
Kann Herr/Frau … Sie zurückrufen?
Die Durchwahl ist …
Ich gebe Ihnen die Nummer von …

ein Gespräch am Fahrkartenschalter führen

Fahrgast
Wann fährt der nächste Zug nach …?
Eine Fahrkarte nach …, bitte.
Jetzt. / Morgen Mittag. / Am 12. vormittags.
Einfach, bitte. / Hin und zurück.
Muss ich umsteigen?

Wann komme ich in … an?
Zweite. / Zweite Klasse.
Ja, am Gang/Fenster, bitte. / Bitte zwei Plätze
  nebeneinander.
Ja, hier ist sie. / Nein.
Was kostet die Fahrkarte nach …?

Bahn-Mitarbeiter/in
Der nächste Zug fährt um … von Gleis …
Wann möchten Sie fahren?
Einfach oder hin und zurück?

Ja, Sie müssen in … umsteigen. / Nein, der Zug
  fährt direkt nach …
Sie kommen um … an. / Ankunft ist um …
Möchten Sie erste oder zweite Klasse fahren?
Möchten Sie einen Platz reservieren? / Wo möchten
  Sie sitzen: Gang oder Fenster?
Haben Sie eine BahnCard?
… Euro. / Das macht … Euro.

Verben mit Präpositionen

sich **ärgern**	über + A.	Mein Nachbar ärgert sich über den Lärm.
sich **aus|kennen**	mit + D.	Ich kenne mich gut mit Computern aus.
sich **bedanken**	bei + D.	Oh, ein Geschenk! Hast du dich schon bei Oma bedankt?
berichten	über + A.	Die Zeitung berichtet über einen Unfall im Stadtzentrum.
sich **beschweren**	über + A.	Meine Frau beschwert sich manchmal über die Nachbarn.
denken	an + A.	An wen denkst du gerade?
deuten	auf + A.	Deuten Sie auf die Bilder.
sich **entscheiden**	für/gegen + A.	Entscheidest du dich für eine Reise nach Berlin?
sich **erinnern**	an + A.	Ich erinnere mich gern an die Party vor einem Jahr.
sich **freuen**	auf + A.	Freust du dich auf die Party morgen?
sich **freuen**	über + A.	Ich habe mich so über die Geschenke gefreut.
sich **gewöhnen**	an + A.	An den langen Arbeitsweg habe ich mich schon gewöhnt.
sich **informieren**	über + A.	Julia informiert sich über Restaurants in Köln.
sich **interessieren**	für + A.	Interessierst du dich für Tiere?
sich **konzentrieren**	auf + A.	Konzentrieren Sie sich auf wichtige Informationen im Text.
sich **kümmern**	um + A.	Ich kümmere mich um meine Katze.
sich **registrieren**	bei + D.	Registrieren Sie sich bei uns und werden Sie Kunde.
sorgen	für + A.	Ich sorge für drei Katzen im Haus.
sich **spiegeln**	in + D.	Die Wolken spiegeln sich im Wasser.
sprechen	mit + D.	Hast du schon mit Olga gesprochen?
stehen	für + A.	Das Herz-Symbol steht für die Liebe.
sich **streiten**	mit + D.	Streitest du manchmal mit deinen Freunden?
träumen	von + D.	Viele Menschen träumen von einem Leben wie früher.
sich **unterhalten**	mit + D.	Ich unterhalte mich gern mit meiner Nachbarin.
unternehmen	mit + D.	Hast du schlechte Laune? Unternimm etwas mit Freunden.
verbringen	mit + D.	Ich verbringe am liebsten Zeit mit meiner Familie.
verzichten	auf + A.	Kannst du auf Schokolade verzichten?
sich **vor|bereiten**	auf + A.	Hast du dich schon auf die Prüfung vorbereitet?
warten	auf + A.	Er wartet auf den Zug. Er hat schon wieder Verspätung.

reflexive Verben

sich **ärgern**	Mein Nachbar ärgert sich, wenn wir laut sind.
sich **aus**|kennen	Ich kenne mich gut mit Computern aus.
sich **aus**|ruhen	Wann ruhst du dich aus?
sich **bedanken**	Oh, ein Geschenk! Hast du dich schon bei Oma bedankt?
sich **beeilen**	Beeil dich, wir warten!
sich **benehmen**	Du benimmst dich sehr komisch heute.
sich **beschweren**	Meine Frau beschwert sich manchmal über die Nachbarn.
sich **entscheiden**	Welches Getränk möchtest du? Hast du dich entschieden?
sich **erinnern**	Ich erinnere mich gern an die Party vor einem Jahr.
sich **gewöhnen**	An den langen Arbeitsweg habe ich mich schon gewöhnt.
sich **informieren**	Julia informiert sich auf der Homepage.
sich **interessieren**	Interessierst du dich für Tiere?
sich **konzentrieren**	Wenn Sie das Handy ausmachen, können Sie sich besser konzentrieren.
sich **kümmern**	Ich kümmere mich um meine Katze.
sich **langweilen**	Wann langweilst du dich?
sich **registrieren**	Sie laden die App auf Ihr Handy herunter und registrieren sich.
sich **setzen**	Hallo, komm rein und setz dich!
sich **spiegeln**	Die Wolken spiegeln sich im Wasser.
sich **streiten**	Streitest du dich manchmal mit deinen Freunden?
sich **überlegen**	Überlegen Sie sich eine Geschichte.
sich **um**|sehen	Sieh dich mal um: So viele Leute sind heute da!
sich **unterhalten**	Ich hoffe, die Gäste tanzen auf der Party und unterhalten sich.
sich **verirren**	Ich habe mich im Stadtzentrum verirrt.
sich **vor**|stellen	Stell dir vor: Ich habe ein Vorstellungsgespräch!
sich **wohl**|fühlen	Hier in Kiel fühle ich mich wohl.

Cover Dieter Mayr, München; **4.1** Shutterstock (Monkey Business Images), New York; **4.2** Shutterstock (Goran Bogicevic), New York; **4.3** Dieter Mayr, München; **4.4** Getty Images (wundervisuals), München; **4.5** © Café Central im Palais Ferstel Wien, Jürg Christandl; **4.6** © Markus Studer; **5.1** Dieter Mayr, München; **5.2** Getty Images (Image Source), München; **5.3** Dieter Mayr, München; **5.4** Paul Rusch, München; **5.5; 142.2** Shutterstock (Nejron Photo), New York; **5.6; 164.8** Shutterstock (canadastock), New York; **6.1-2** Shutterstock (ESB Professional), New York; **7.1** Shutterstock (dotshock), New York; **7.2** Charlotte Mörtl; **7.3** Shutterstock (Rachata Teyparsit), New York; **7.4** Sabine Wenkums; **8.1** Shutterstock (Syda Productions), New York; **9.1** Shutterstock (Inspired By Maps), New York; **9.2** Shutterstock (Minerva Studio), New York; **10.1** Shutterstock (Mladen Mitrinovic), New York; **10.2** Shutterstock (mavo), New York; **11.1** Shutterstock (Solis Images), New York; **12.1** Shutterstock (Maksim Zaytsev), New York; **14.1** Shutterstock (Drazen Zigic), New York; **14.2** Shutterstock (Nando Castoldi), New York; **14.3** Shutterstock (mahirart), New York; **14.4** Shutterstock (artproem), New York; **14.5** Shutterstock (Maks Narodenko), New York; **14.6** Shutterstock (Yeti studio), New York; **18.1** Shutterstock (SaMBa), New York; **18.2** Shutterstock (Matej Kastelic), New York; **18.3** Shutterstock (goodluz), New York; **18.4** Shutterstock (goodluz), New York; **19.1** Shutterstock (Monkey Business Images), New York; **20.1** Renate Schertler; **20.2** Shutterstock (goodluz), New York; **23.1** Shutterstock (Stokkete), New York; **24.1** Shutterstock (Ahmad RS), New York; **24.2** Shutterstock (Kamil Macniak), New York; **25.1** Shutterstock (Phase4Studios), New York; **25.2** Shutterstock (Pressmaster), New York; **26.1** Shutterstock (Antonio Guillem), New York; **26.2** Shutterstock (Jacob Lund), New York; **26.3** Shutterstock (Odua Images), New York; **26.4** Shutterstock (ESB Professional), New York; **30.1** Dieter Mayr, München; **30.2** Shutterstock (fafostock), New York; **30.3** Shutterstock (Streptococcus), New York; **30.4** Shutterstock (fafostock), New York; **30.5** Shutterstock (Cinderella Design), New York; **30.6** Shutterstock (fafostock), New York; **30.7** Shutterstock (flatvector), New York; **30.8** Shutterstock (fafostock), New York; **30.9** Shutterstock (topicons), New York; **30.10** Shutterstock (Ilya Babiy), New York; **32.1** Shutterstock (Aaron Amat), New York; **32.2** Shutterstock (PaulPaladin), New York; **32.3** Shutterstock (Alexey Boldin), New York; **32.4** Shutterstock (Fer Gregory), New York; **32.5** Shutterstock (Ruslan Ivantsov), New York; **32.6** Shutterstock (cobalt88), New York; **32.7** Shutterstock (Lukas Gojda), New York; **32.8** Shutterstock (Tetiana Yurchenko), New York; **32.9** Shutterstock (L Mirror), New York; **32.10** Shutterstock (Neveshkin Nikolay), New York; **32.11** Shutterstock (Africa Studio), New York; **32.12** Shutterstock (Alexey Boldin), New York; **33.1** Shutterstock (Evgeniy Zhukov), New York; **33.2** iStockphoto (Stephen Krow), Calgary, Alberta; **33.3** Shutterstock (VGstockstudio), New York; **33.4** Shutterstock (Antonio Guillem), New York; **35.1; 46.2.4; 47.1; 49.2; 50.1; 51.2; 98.6; 101.1; 116.1; 153.1** Shutterstock (pixelliebe), New York; **35.2** Shutterstock (Marcos Mesa Sam Wordley), New York; **35.3** Shutterstock (Marcos Mesa Sam Wordley), New York; **35.4** Shutterstock (Marcos Mesa Sam Wordley), New York; **35.5** Shutterstock (Marcos Mesa Sam Wordley), New York; **35.6** Shutterstock (Keisuke_N), New York; **36.1** Shutterstock (Andrey Arkusha), New York; **36.2** Stefanie Dengler; **36.3** Shutterstock (AlenD), New York; **36.4** Shutterstock (Nadino), New York; **38.1** picture-alliance (Eventpress Radke), Frankfurt; **46.1** Shutterstock (Teerachai_P), New York; **46.3** Shutterstock (BABAROGA), New York; **46.5** Shutterstock (Sharomka), New York; **46.6** Shutterstock (Skylines), New York; **46.7** Shutterstock (Rawpixel.com), New York; **48.1** Shutterstock (bbernard), New York; **48.2** Shutterstock (Monkey Business Images), New York; **48.3** Shutterstock (Rido), New York; **49.1** Shutterstock (pathdoc), New York; **51.1** Shutterstock (Prostock-studio), New York; **53.1** Shutterstock (Dmitrijs Gofmans), New York; **53.2** Shutterstock (Intrepix), New York; **53.3** Shutterstock (linerpics), New York; **53.4** Shutterstock (FooTToo), New York; **53.5** Shutterstock (stockcreations), New York; **54.1** Shutterstock (sakkmesterke), New York; **54.2** Shutterstock (yurakrasil), New York; **60.1-2** Shutterstock (Aleksandar Malivuk), New York; **61.1** Shutterstock (Africa Studio), New York; **61.2** Shutterstock (clearlens), New York; **62.1** Shutterstock (jaboo2foto), New York; **64.1** Shutterstock (wavebreakmedia), New York; **65.1.6.7** Shutterstock (NazArt), New York; **65.2** Shutterstock (7th Son Studio), New York; **65.3** Shutterstock (Pakhnyushchy), New York; **65.4** Shutterstock (Africa Studio), New York; **65.5** Shutterstock (Carlos Amarillo), New York; **66.1** Shutterstock (Svetocheck), New York; **73.1** Shutterstock (drieshondebrinkfoto), New York; **75.1** Shutterstock (Alex_Traksel), New York; **75.2** Shutterstock (Halfpoint), New York; **75.3** Shutterstock (Kzenon), New York; **75.4** Shutterstock (oliveromg), New York; **77.1** Shutterstock (goodluz), New York; **87.1** Shutterstock (MilanMarkovic78), New York; **87.2** Shutterstock (Tanya Yatsenko), New York; **88.1** Dieter Mayr, München; **88.2** Shutterstock (Maria Sbytova), New York; **88.3** Deutsche Bahn AG / Volker Emersleben; **88.4** Shutterstock (Iakov Filimonov), New York; **89.1** Shutterstock (skyNext), New York; **91.1** Westend61 GmbH / Alamy Stock Foto; **92.1** Getty Images (AsianDream), München; **92.2** Getty Images (saiko3p), München; **93.1** Shutterstock (Federico Rostagno), New York; **94.1** © dpa-infografik; **98.1** Shutterstock (Brailescu Cristian), New York; **98.2** Shutterstock (Bohbeh), New York; **98.3** Shutterstock (Billion Photos), New York; **98.4** Shutterstock (Kostenko Maxim), New York; **98.5** Shutterstock (aninata), New York; **98.7** Shutterstock (Giamportone), New York; **102.1** Shutterstock (GaudiLab), New York; **102.2** Shutterstock (michaeljung), New York; **103.1** Shutterstock (2Design), New York; **104.1** Shutterstock (Ihor Bulyhin), New York; **105.1** Shutterstock (Ihor Bulyhin), New York; **106.1** Shutterstock (baranq), New York; **107.1** Shutterstock (Bildagentur Zoonar GmbH), New York; **107.2** Shutterstock (garetsworkshop), New York; **107.3** Klett-Archiv, Stuttgart; **107.4** Getty Images (nerudol), München; **107.5** Getty Images

Texte
S. 146 und Track 2.36 Gedicht „die Zeit vergeht" aus „Laut und Luise" (Sprechblasen), Bd. 1 der Werke von Ernst Jandl (Hrsg. Klaus Siblewski) © Luchterhand Literaturverlag in der Verlagsgruppe Random House, gelesen von Ernst Jandl

Audios
Aufnahme und Postproduktion: Plan 1, Christoph Tampe, München
Sprecherinnen und Sprecher: Anna Abt, Ulrike Arnold, Tobias Baum, Julia Cortis, Kerstin Dietrich, Marco Diewald, Carlotta Immler, Angela Kilimann, Sofia Lainovic, Felice Lembeck, Christof Lenner, Anja Schümann, Florian Schwarz, Peter Veit, Sebastian Waldemer, Julian Wenzel, Peter Docek, Katja Brenner, Giulia Comparato, Peter Fischer, Simon Grams, Dominique Hähnle, Vanessa Jeker, Johannes Kehrer, Crock Krumbiegel, Detlef Kügow, Johanna Liebeneiner, Susanne Mainz, Saskia Mallison, Alina Martius, Charlotte Mörtl, Verena Rendtorff, Jacob Riedl, Gerd Schmitz, Helge Sturmfels, Louis Thiele, Benedikt Weber, Gisela Weiland, Sabine Wenkums, Judith Wiesinger

Kurssprache

Das sagt der Lehrer / die Lehrerin:

 Lesen Sie.

 Berichten Sie.
Erzählen Sie.
Sprechen Sie.

 Markieren Sie.

 Hören Sie.

 Ergänzen Sie.

 Kreuzen Sie an.

 Schreiben Sie.
Notieren Sie.

 Unterstreichen Sie.

 Ordnen Sie zu.

Das sagen Sie:

Wie heißt das auf Deutsch?

Ich verstehe das nicht. /
Ich verstehe „…" nicht.

Ist das richtig?

Wie schreibt man das?

Ich habe eine Frage.

Können Sie das
wiederholen, bitte?

Noch einmal, bitte.

Der Kursraum

das Buch

das Heft

das Blatt

der Radiergummi

der Bleistift

das Wörterbuch

der Beamer

der Block

der Stift

die Tafel /
das Whiteboard

der Computer